# Deutsch als Fremdsprache

Silke Hilpert | Marion Kerner | Daniela Niebisch
Franz Specht | Dörte Weers
Monika Reimann | Andreas Tomaszewski

unter Mitarbeit von
Isabel Krämer-Kienle | Jutta Orth-Chambah

# *Schritte plus* 4

## Kursbuch
## + Arbeitsbuch

Niveau A2/2

Hueber Verlag

**Beratung:**
Susanne Kalender, Duisburg
Şeniz Sütçü, Berlin

**Fotogeschichte:**
Fotograf: Alexander Keller, München
Darsteller: Martina Fuchs-Dingler, Francesca Pane, Anna von Rebay, Tim Röhrle, Emil Salzeder und andere
Organisation: Iciar Caso, Weßling

**Phonetik:**
Monika Bovermann, Heitersheim

**Für die hilfreichen Hinweise danken wir:**
Ulrike Ankenbrank, Daniela Brunner, Katja Meyer-Höra, Raffaella Pepe, Eva Winisch,
dem Schulverwaltungsamt der Landeshauptstadt Dresden

**Interaktive Aufgaben für den Computer:**
Barbara Gottstein-Schramm

9.  8.  7.              Die letzten Ziffern
2020   19   18   17   16        bezeichnen Zahl und Jahr des Druckes.
Alle Drucke dieser Auflage können, da unverändert,
nebeneinander benutzt werden.
1. Auflage
© 2010 Hueber Verlag GmbH & Co. KG, 85737 Ismaning, Deutschland
Zeichnungen: Hueber Verlag/Jörg Saupe
Layout: Marlene Kern, München
Verlagsredaktion: Dörte Weers; Marion Kerner; Jutta Orth-Chambah;
Juliane Wolpert; Isabel Krämer-Kienle, Hueber Verlag, Ismaning
Druck und Bindung: Druckerei Uhl GmbH & Co. KG, Radolfzell
Printed in Germany
ISBN 978-3-19-001914-4
ISBN 978-3-19-011914-1 (mit CD)

Art. 530_17611_001_10

# AUFBAU

## Symbole / Piktogramme

| Kursbuch | | Arbeitsbuch | |
|---|---|---|---|
| Hörtext auf CD | CD 1 05 | Hörtext auf CD | CD 3 12 |
| Grammatik | schön (+) <br> schöner (++) <br> am schönsten (+++) | Vertiefungsübung | Ergänzen Sie. |
| Hinweis | senden → die Sendung | Erweiterungsübung | Ergänzen Sie. |
| Aktivität im Kurs | ⇄ | Verweis auf <br> *Schritte plus Portfolio* <br> unter <br> www.hueber.de / schritte-plus | ┈┈▶ Portfolio |
| Redemittel | *Ich konnte nicht ..., weil ...* <br> *Ich wollte ..., aber ...* | | |
| Verweis auf <br> *Schritte Übungsgrammatik* <br> (ISBN 978-3-19-301911-0) | ┈┈▶ ÜG, 10.01 | | |

# Inhalt Kursbuch

# Vorwort

**Liebe Leserinnen, liebe Leser,**

*Schritte plus* ist ein Lehrwerk für die Grundstufe. Es führt Lernende ohne Vorkenntnisse in jeweils zwei Bänden zu den Sprachniveaus A1, A2 und B1.

*Schritte plus* orientiert sich genau

● an den Vorgaben des Gemeinsamen Europäischen Referenzrahmens und

● an den Vorgaben des Rahmencurriculums des Bundesministeriums des Inneren.

Gleichzeitig bereitet *Schritte plus* gezielt auf die Prüfungen *Start Deutsch 1* (Stufe A1), *Start Deutsch 2* (Stufe A2), den *Deutsch-Test für Zuwanderer* (Stufe A2–B1) und das *Zertifikat Deutsch* (Stufe B1) vor.

## Das Kursbuch

Jede der sieben Lektionen eines Bandes besteht aus einer Einstiegsdoppelseite, fünf Lernschritten A–E, einer Übersichtsseite sowie einem Zwischenspiel.

**Einstieg:** Jede Lektion beginnt mit einer Folge einer unterhaltsamen Foto-Hörgeschichte. Die Episoden bilden den thematischen und sprachlichen Rahmen der Lektion.

**Lernschritt A–C:** Diese Lernschritte bilden jeweils in sich abgeschlossene Einheiten und folgen einer klaren, einheitlichen Struktur:
In der Kopfzeile jeder Seite sehen Sie, um welchen Lernstoff es geht. Die Einstiegsaufgabe führt den neuen Stoff ein, indem sie an die gerade gehörte Foto-Hörgeschichte anknüpft. Grammatik-Einblendungen machen die neu zu lernenden Sprachstrukturen bewusst. Die folgenden Aufgaben dienen dem Einüben der neuen Strukturen – zunächst meist in gelenkter, dann in freierer Form. Den Abschluss des Lernschritts bildet eine freie, oft spielerische Anwendungsübung oder ein interkultureller Sprechanlass.

**Lernschritt D und E:** Hier werden die vier Fertigkeiten – Hören, Lesen, Sprechen und Schreiben – nochmals in authentischen Alltagssituationen trainiert und systematisch erweitert.

**Übersicht:** Die wichtigen Strukturen, Wendungen und Strategien einer Lektion sind hier systematisch aufgeführt.

**Zwischenspiel:** Landeskundlich interessante und spannende Lese- und Hörtexte mit spielerischen Aktivitäten runden die Lektion ab.

## Das Arbeitsbuch

Im integrierten Arbeitsbuch finden Sie:

● Übungen zu den Lernschritten A–E des Kursbuchs in verschiedenen Schwierigkeitsgraden, um innerhalb eines Kurses binnendifferenziert mit schnelleren und langsameren Lernenden zu arbeiten
● Übungen zur Phonetik
● Anregungen zum autonomen Lernen in Form eines Lerntagebuchs
● Aufgaben zur Vorbereitung auf die Prüfungen
● zahlreiche Möglichkeiten, bereits gelernten Stoff zu wiederholen und zu üben

● Lernwortschatz zu jeder Lektion
● systematisches Schreibtraining
● Übungen, die zum selbstentdeckenden Erkennen grammatischer Strukturen anleiten

### Fokus-Seiten

greifen die Lernziele des Bundesministeriums des Inneren auf und bieten zahlreiche zusätzliche Materialien zu den Themen Familie, Beruf und Alltag, um den speziellen Bedürfnissen einer Lerngruppe gerecht zu werden. Sie können fakultativ bearbeitet werden. In *Schritte plus 4* gibt es zu jeder Lektion zwei Fokus-Seiten. Zu vielen Fokus-Seiten sind weiterführende Projekte vorgesehen, die im Lehrerhandbuch (ISBN 978-3-19-051914-9) ausführlich erläutert werden.

*Schritte plus* ist wahlweise mit integrierter Arbeitsbuch-CD erhältlich. Sie bietet

● die Hörtexte und Phonetikübungen des Arbeitsbuchs
● Das Plus: interaktive Übungen für den Computer zu allen Lektionen

Was bietet *Schritte plus* darüber hinaus

● Selbstevaluation: Mithilfe eines Fragebogens können die Lernenden ihren Kenntnisstand selbst überprüfen und beurteilen.

Im Internetservice unter *www.hueber.de/schritte-plus* finden Sie zahlreiche Übungen, Kopiervorlagen, Texte sowie eine Aufstellung über die vielfältigen zusätzlichen Materialien – wie eine Übungsgrammatik, Lektürehefte, Poster, Intensivtrainer und vieles mehr.
Für Eltern-/Jugendkurse oder berufsorientierte Kurse gibt es dort ergänzende und erweiternde Arbeitsblätter und Unterrichtssequenzen.

Viel Spaß beim Lehren und Lernen mit *Schritte plus* wünschen Ihnen
Autoren und Verlag

**1**    Stellen Sie sich vor: Wie heißen Sie?

**2**    Sehen Sie das Bild an und lesen Sie.

**4** … leider kann Mama danach nicht lange zu Hause bei dem Baby bleiben. Sie und Kurt müssen ja beide arbeiten. Ich heiße übrigens Larissa Weniger, bin 15 und gehe in die 10. Klasse. Ich finde es schön, dass Maria …

Hallo, ich heiße Maria Torremolinos, bin 20 Jahre alt und komme aus Südamerika. Meine Mutter ist Deutsche, aber ich war noch nie in Deutschland. Ich möchte gern eine Weile hier leben und darum bin ich …

**2** … und darum ist Maria jetzt erst mal bei uns. Ich heiße Kurt Braun und bin 36 Jahre alt. Als Taxifahrer lerne ich viele Menschen aus aller Welt kennen, zum Beispiel auch einen Freund von Marias Eltern. Der hat mir von Maria erzählt und da habe ich …

… dass Maria jetzt bei uns in Deutschland ist. Und am besten ist, dass sie so gut Mathe kann. Wenn das Baby da ist, kann sie mir leider nicht mehr so viel helfen. Ach ja, ich bin Simon Braun, ich bin 14 Jahre alt und gehe in die 9. Klasse.

**3** … und da hat Kurt ihn sofort nach Marias Adresse gefragt. Mein Name ist Susanne Weniger, ich bin Kurts Frau, 37 Jahre alt und arbeite in einer Apotheke. In ein paar Monaten bekommen Kurt und ich unser erstes gemeinsames Baby. Leider kann ich …

**3**    Ergänzen Sie.

Kurt
… ist **?** von Beruf.

… arbeitet in einer **?**

… ist **?** Jahre alt.
… geht in die **?** Klasse.
… ist der Sohn von **?**

bekommen
bald ein **?**

… ist **?** Jahre alt.
… kommt aus **?**
… möchte **?**
… wohnt bei **?**

… ist **?** Jahre alt.
… geht in die **?** Klasse.
… ist die Tochter von **?**

**4**    Was möchten Sie über sich selbst erzählen?
Bilden Sie kleine Gruppen und sprechen Sie über sich.
Stellen Sie dann Ihre Gesprächspartnerinnen und -partner den anderen Gruppen vor.

FOLGE 8: *WOLFGANG AMADEUS ODER: WICHTIGERE DINGE*

**1**    **Sehen Sie die Fotos 1–3 an. Was meinen Sie? Kreuzen Sie an.**

**a**   Was wollen Kurt und Susanne machen?    ☐ Zwei Tage wegfahren.
                                                  ☐ Einkaufen gehen.

**b**   Warum sieht Simon sauer aus?        ☐ Er darf nicht Skateboard fahren.
                                                  ☐ Er darf nicht mitfahren.

**c**   Was machen Maria und Simon?       ☐ Sie lernen zusammen.
                                                  ☐ Sie hören Musik.

CD 1 2–9

**2**    **Sehen Sie die Fotos an und hören Sie.**

**3**    **Stellen Sie selbst Fragen zu der Geschichte und antworten Sie.**

Warum wollen Kurt und Susanne mal ohne Kinder wegfahren?      Weil sie bald ein Baby bekommen.      Wer ist der junge Mann auf Foto 7?

## 4 Ergänzen Sie die Namen.

Kurt Larissa Maria Mozart Sebastian Simon Susanne

_Kurt_ und ........................... fahren übers Wochenende weg. ........................... und die beiden Kinder fahren nicht mit. ........................... übernachtet bei ihrer Freundin. ........................... muss zu Hause bleiben und für die Schule lernen. ........................... hilft ihm bei den Matheaufgaben. Doch dann hören die beiden Musik aus einer Wohnung gegenüber. ........................... kennt das Stück, denn es ist von ihrem Lieblingskomponisten, ........................... . Sie möchte den Klavierspieler kennenlernen. Jetzt hilft ........................... ihr. Er geht ins Nachbarhaus und so kann Maria ........................... kennenlernen. Sie hat keine Zeit mehr für ........................... . Also kann er doch noch auf den Skateboardplatz gehen.

## 5 Ergänzen Sie Informationen über Sebastian.

| | | | |
|---|---|---|---|
| Vorname: | _Sebastian_ | Alter: | ........................... |
| Familienname: | ........................... | Beruf: | ........................... |

# Das Wetter ist nicht besonders schön.
## **Trotzdem** wollen wir mal für zwei Tage raus hier.

### A1 Ordnen Sie zu.

a Das Wetter ist nicht besonders schön.    Er macht trotzdem Matheaufgaben.
b Maria möchte Musik hören.    Trotzdem hilft sie Simon bei den Matheaufgaben.
c Simon hat keine Lust.    Trotzdem wollen Kurt und Susanne mal für zwei Tage raus.

Simon hat keine Lust.    **Trotzdem** macht er Matheaufgaben.
Er macht **trotzdem** Matheaufgaben.

CD 1 10

### A2 Hören Sie und variieren Sie.

a ● Was machst du am Wochenende?
  ▲ Ich mache eine Radtour.
  ● Aber du bist doch erkältet!
  ▲ Na und? Ich mache trotzdem eine Radtour.

*Varianten:*
schwimmen gehen ●
auf den Flohmarkt gehen

b ■ Was machen wir heute Abend?
  ▼ Ich möchte mein Buch zu Ende lesen.
  ■ Aber wir wollten doch einen Krimi im Fernsehen ansehen.
  ▼ Trotzdem möchte ich lieber lesen.

*Varianten:*
einen Videofilm ansehen – essen gehen ●
früh schlafen gehen – die Fotos ordnen

### A3 Was soll Nina tun? Was tut sie wirklich? Sprechen Sie.

Liebe Nina,
ich komme erst am Sonntag früh zurück.
Bitte nicht vergessen:
– Schlaf nicht so lange.
– Tu am Vormittag etwas für die Schule.
– Telefonier nicht so viel.
– Iss nicht so viel Süßes.
– Geh nachmittags an die frische Luft.
– Bleib abends zu Hause.
– Mach spätestens um 23 Uhr das Licht aus.
♡ Mama

Nina soll nicht so lange schlafen. Trotzdem bleibt sie bis zehn Uhr im Bett.

bis 10 Uhr im Bett bleiben

nicht lernen

stundenlang telefonieren

viel Kuchen essen

vor dem Computer sitzen

in die Disco gehen

bis 2 Uhr lesen

### A4 Und Sie? Was sollten Sie nicht tun? Was machen Sie trotzdem?

Ich huste viel. Trotzdem rauche ich jeden Tag eine Schachtel Zigaretten.

Regenschirm

## B1  Wer sagt was? Und wer wünscht sich was? Ordnen Sie zu.

**A**   Jetzt bin ich immer noch hier und muss lernen.

Wir würden gern mal wieder allein wegfahren.

**B**   Wenn die Familie zu Hause ist, habe ich kaum Zeit für mich.

Aber ich wäre so gern auf dem Skateboardplatz!

**C**   Wir fahren eigentlich nie ohne die Kinder weg.

Ich hätte gern mal ein bisschen Ruhe.

| ich | bin | → wäre | ich | habe | → hätte | ich | fahre | → würde | ... fahren |
| du | bist | → wärst | du | hast | → hättest | du | fährst | → würdest | ... fahren |
| er/sie | ist | → wäre | er/sie | hat | → hätte | er/sie | fährt | → würde | ... fahren |
| wir | sind | → wären | wir | haben | → hätten | wir | fahren | → würden | ... fahren |
| ihr | seid | → wärt | ihr | habt | → hättet | ihr | fahrt | → würdet | ... fahren |
| sie/Sie | sind | → wären | sie/Sie | haben | → hätten | sie/Sie | fahren | → würden | ... fahren |

## B2  Was wünschen sich diese Personen? Sprechen Sie.

Sie/Er hätte gern ... • Sie/Er würde gern ... • Sie/Er wäre gern ...

A   B   C   D   E

## B3  Wünsche raten

**a**  Notieren Sie vier Wünsche auf ein Blatt.

- Wo wären Sie jetzt gern?
- Was hätten Sie gern?
- Was würden Sie gern spielen und sammeln?

> Ich wäre jetzt gern in Berlin.
> Ich hätte gern ein Fahrrad.
> Ich würde gern Theater spielen.
> Ich würde gern Rezepte sammeln.

| Wo? | Was? | Spielen? | Sammeln? |
|---|---|---|---|
| zu Hause | viel Geld | Klavier | Streichholzschachteln |
| in meiner Heimat | einen Hund | Karten | Briefmarken |
| ... | ... | ... | ... |

> Meine Person wäre jetzt gern in Berlin. Sie hätte gern ...

**b**  Mischen Sie die Zettel und verteilen Sie sie neu. Lesen Sie vor. Die anderen raten: Wer hat diese Wünsche?

## B4  Machen Sie eine Wunschliste für den Unterricht.

Gespräche hören • sprechen • Filme sehen • Texte schreiben • Briefe schreiben • Wörter wiederholen • Spiele machen • ...

> Wir würden gern
> - am Computer Übungen machen
> - Texte lesen
> - ...

**Schon fertig?**

Bloß nicht!
Das würden wir nicht so gern im Unterricht machen. Sammeln Sie.

**C1** **Erinnern Sie sich? Welche Vorschläge machen Susanne und Simon?**

**a**

> Maria, du könntest ...

☐ doch etwas mit anderen jungen Leuten unternehmen.
☐ doch Mathe lernen.

**b**

> Ich könnte ...

☐ ins Nachbarhaus gehen.
☐ noch etwas Mathe lernen.

| ich | könnte | |
|---|---|---|
| du | könntest | ... gehen |
| wir/Sie | könnten | |

CD 1 11 **C2** **Hören Sie drei Gespräche. Beantworten Sie die Fragen.**

**a** Wen ruft Betti an?
**b** Was möchte Betti?
**c** Wer geht mit? Martin, Stefan oder Luis?
**d** Warum gehen die beiden anderen nicht mit?

CD 1 11 **C3** **Wer macht welchen Vorschlag? Hören Sie noch einmal und ordnen Sie zu.**

Betti
Martin
Stefan
Luis

Du könntest mal wieder deine Tango-Schuhe anziehen.
Du könntest mitgehen. Es gibt noch Karten.
Wir könnten nächsten Samstag was zusammen machen.
Du könntest mich abholen.
Wir könnten doch mal wieder tanzen gehen.
Wir könnten mal wieder zusammen etwas unternehmen.

**C4** **Sprechen Sie über Ihr Wochenende. Machen Sie Vorschläge und antworten Sie.**

● Was machen wir am Freitagabend? Hast du eine Idee?
▲ Wir könnten mal wieder Karten spielen. Hast du Lust?
● Warum nicht? Wann sollen wir uns treffen?
▲ Sagen wir um neun Uhr bei mir.

■ Ich würde am Freitagabend gern Karten spielen. Hast du Lust?
◆ Schade, das geht leider nicht. Ich habe keine Zeit.
■ ...

| **Am Freitag** Karten spielen | **Am Samstag** ein Fußballspiel ansehen | **Am Samstag** auf dem Markt einkaufen | **Am Sonntag** ins Museum gehen |
|---|---|---|---|
| **Am Samstag** einen Spaziergang machen | **Am Sonntag** einen Ausflug machen | **Am Sonntag** Freunde zum Frühstück einladen | **Am Freitag** ... |

*Wir könnten (mal wieder) ...*
*Wie wäre es mit ...?*
*Ich würde gern ... Hast du Lust?*

☺
*Warum nicht? Wann ...?*
*In Ordnung.*
*Ja, das geht bei mir.*
*Einverstanden. Dann bis ...*
*Gute Idee. Das machen wir.*
*Ich komme/mache gern mit. Um wie viel Uhr ...?*

☹
*Tut mir leid, aber ...*
*Leider habe ich keine Zeit.*
*Schade, das geht leider nicht. Ich ...*
*Ich würde gern ..., aber ...*
*Da kann ich leider nicht. Aber ...*
*Ich würde eigentlich lieber ...*

**D1**  **Was kann man am Wochenende unternehmen? Ergänzen Sie.**

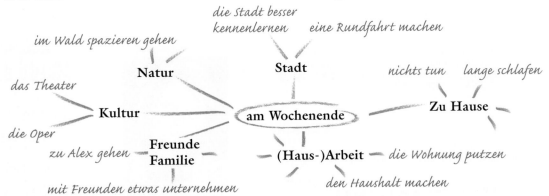

*die Stadt besser kennenlernen*  *eine Rundfahrt machen*

*im Wald spazieren gehen*

**Natur**  **Stadt**  *nichts tun*  *lange schlafen*

*das Theater*

**Kultur**  **am Wochenende**  **Zu Hause**

*die Oper*

*zu Alex gehen*  **Freunde Familie**  **(Haus-)Arbeit**  *die Wohnung putzen*

*mit Freunden etwas unternehmen*  *den Haushalt machen*

**D2**  **Fragen Sie und antworten Sie.**

- ■ Was machst du gerne am Freitagabend?
- ■ Wofür nimmst du dir am Samstag Zeit?
- ■ Und am Sonntag, was machst du da?

- ◆ Am Freitagabend ... ich gern ...
- ◆ Am Samstag ... ich am liebsten ...
- ◆ Am Sonntag ... ich oft ...

**D3**  **Wann gibt es welche Veranstaltung? Ordnen Sie zu.**

Tag der offenen Tür ● Ausstellung ● Konzert ● Tanz ● Rundfahrt ● Spaziergang

| Mo | Di | Mi | Do | Fr | Sa |
|---|---|---|---|---|---|
|  | *Tag der offenen Tür* |  |  |  |  |

## VERANSTALTUNGSKALENDER

**Mo 1.12.**
**Winterwald – Natur pur**
Ausflug in unseren schönen Stadtwald.
Erleben Sie mit Dr. Heinrich einen
spannenden Winterspaziergang und
entdecken Sie die Tier- und
Pflanzenwelt einmal ganz anders.
**2 Stunden, 15.00–17.00 Uhr**
Treffpunkt: S-Bahnhof Grunewald

**Di 2.12.**
**Tag der offenen Tür**
bei der *AWO* (Arbeiterwohlfahrt),
Charlottenburg, Helene-Lange-Weg 8,
Tel. 15 75 38
Internationale Imbiss-Stände mit Floh-
markt für Kindersachen und Spielzeug
**09.00–11.30 Uhr**
Flohmarkt
**14.00–16.30 Uhr**
Informationsstände

**Mi 3.12.**
**Eis-Disco**
Eisstadion Wilmersdorf,
Fritz-Wildung-Str. 9 (Wilmersdorf),
Tel. 24 10 12
**Täglich um 17.00 Uhr:**
*Eistanz zu Liedern der 70er-Jahre*
*Eintritt: Jugendliche bis 16 Jahre,*
*Senioren 1,50 €, Erwachsene 3 €*

**Do 4.12.**
**Hobbyfotografen stellen ihre**
**Fotos aus**
*Wie wir unseren Stadtteil sehen*
Heimatmuseum Marzahn,
Alt-Marzahn 31, Tel. 541 02 31
**10.00 Uhr:**
Eröffnung mit Verkauf
*Eintritt frei*

**Fr 5.12.**
**Auf der *Neptun* –**
**_Berlin bei Nacht_**
Per Schiff auf der Spree
Reederei Kreuzner,
Fraenkelufer 61 (Kreuzberg), Tel. 96 46 40
Internet: www.reederei-kreuzner.de
**20.00 Uhr:** Ausflug inklusive
Abendessen, Dauer: 3 Stunden

**Sa 6.12.**
**Südamerikanische Nacht**
im Schloss-Saal, Charlottenburg,
Tel. 67890
**20.00 Uhr:** Carlos und los chicos laden
zum Konzert ein.
Lassen Sie sich von den Klängen
verzaubern.
*Karten nur am Eingang*
*Studentenermäßigung*

**D4**  **Welche Veranstaltung würden Sie auswählen? Warum?**

*Ich würde gern ... besuchen, weil ...*
*Ich würde lieber in(s) ... gehen, weil ...*
*Am liebsten würde ich ... machen, weil ...*

**Schon fertig?**

Und was machen Sie am
Wochenende? Machen Sie
Ihren Veranstaltungskalender.

**E1** Lesen Sie die Anzeigen. Welche Wochentage und Uhrzeiten finden Sie?

**1 Historisches Museum**

Die Totalrenovierung ist abgeschlossen. Mit zwei neuen Abteilungen ist das Museum größer, schöner und vielseitiger als je zuvor. Wir feiern WIEDERERÖFFNUNG mit einem Tag der offenen Tür am Sonntag, 21. Mai, 10-18 Uhr.

Prager Platz 11-15 | Historisches Museum

**2** vhs lebenslang lernen

Jetzt einschreiben fürs Sommersemester!

Ich gehe hin.

**3** OPEN AIR

So 23. Juli am Brandenburger Tor

"ZITTY MAN" präsentiert:

Peter BAEKKER und Band

DIE HEIMWERKER

LADY MACBETH

www.berlin-open-air.de

**4** Samstag, 12.6. ab 11 Uhr am Pariser Platz

**KARNEVAL DER KULTUREN**

zum 3. Mal

Musik/Spezialitäten aus 4 Kontinenten.
Große Tombola.
DAS Berliner Straßenfest.
NOCH größer! NOCH bunter!

**5** Schillerstr. 212 +++ Tel.: 12 44 35 +++ täglich ab 14 Uhr

**Kinderkino**

Die Sommerpause ist zu Ende. Ab jetzt gibt's wieder Kino! Jeden Donnerstag, Freitag und Sonntag um 14 Uhr

NEU

TOLLE FILME zum HALBEN PREIS!

Kino im Ziegenstall · Kino im Ziegenstall · Kino im

| Anzeige/Tipp | 1 | 2 | 3 | 4 | 5 |
|---|---|---|---|---|---|
| Tag | Sonntag | | | | |
| Zeit | | | | | 14 Uhr |

**E2** Hören Sie nun fünf Tipps im Radio. Ergänzen Sie fehlende Wochentage und Uhrzeiten in E1.

**E3** Hören Sie noch einmal. Was passt? Ordnen Sie zu.

Man                                                                Tipp

**a** sollte nicht mit dem Auto kommen.                    ....4....

**b** kann beim Radiosender anrufen.                        ..........

**c** sollte die Mittagszeit für einen Besuch wählen.    ..........

**d** kann das Programm in Läden finden.                    ..........

**e** muss selbst zur Anmeldung kommen.                     ..........

**E4** Kreuzen Sie an: Richtig oder falsch?

richtig    falsch

**1** Am Sonntag ist das Museum den ganzen Tag geöffnet. ☐ ☐
Der Eintritt ins Museum ist nicht kostenlos. ☐ ☐

**2** Die Anmeldung für die neuen Kurse beginnt. ☐ ☐
Viele wollen einen Kurs in der Volkshochschule machen. ☐ ☐

**3** Das Konzert ist in einem Haus in der Nähe vom Brandenburger Tor. ☐ ☐
Es gibt beim Radiosender noch Karten für das Konzert. ☐ ☐

**4** Das Fest findet außerhalb von Berlin statt. ☐ ☐
Es gibt kostenlose Parkplätze für die Besucher. ☐ ☐

**5** Das Kino ist ab September geschlossen. ☐ ☐
Werktags gibt es ein Programm für Kinder. ☐ ☐

## Grammatik

### 1 Konjunktion: *trotzdem*

| | | Position 2 | |
|---|---|---|---|
| Das Wetter ist schlecht. | **Trotzdem** | fahren | sie für zwei Tage weg. |
| | Sie | fahren | **trotzdem** für zwei Tage weg. |

········▶ ÜG, 10.05

### 2 Konjunktiv II: Konjugation

| ich | wäre | hätte | würde | könnte |
|---|---|---|---|---|
| du | wär(e)st | hättest | würdest | könntest |
| er/es/sie | wäre | hätte | würde | könnte |
| wir | wären | hätten | würden | könnten |
| ihr | wär(e)t | hättet | würdet | könntet |
| sie/Sie | wären | hätten | würden | könnten |

········▶ ÜG, 5.17

### 3 Konjunktiv II: Wunsch

| Ich | wäre | gern | gut in Mathe. |
|---|---|---|---|
| Sie | hätte | gern | ein Klavier. |
| Wir | würden | gern | etwas **unternehmen**. |

········▶ ÜG, 5.17

### 4 Konjunktiv II: Vorschlag

| Du | könntest | einen Ausflug **machen**. |
|---|---|---|
| Wir | könnten | |

········▶ ÜG, 5.17

## Wichtige Wendungen

**Vorschläge machen: Wir könnten ...**

Wir könnten (mal wieder) Karten spielen. •
Wie wäre es mit ...? •
Ich würde gern ... • Hast du Lust?

**einen Vorschlag annehmen: Warum nicht?**

Warum nicht? • Einverstanden. •
Das geht bei mir. • Gute Idee. Das machen wir. •
In Ordnung. • Ich komme/mache gern mit.

**einen Vorschlag ablehnen: Schade, ...**

Schade, das geht leider nicht. •
Tut mir leid, aber ... • Leider habe ich ... •
Ich würde gern kommen/mitmachen, aber ... •
Da kann ich leider nicht. Aber ... •
Ich würde (eigentlich) lieber ...

**Wünsche äußern: Ich würde gern ...**

Ich wäre jetzt gern in Berlin. •
Ich hätte gern ein Fahrrad. •
Ich würde gern Klavier spielen.

Jeder kann es in der Bibel nachlesen. Sechs Tage lang hat Gott gearbeitet: Montag, Dienstag, Mittwoch, Donnerstag, Freitag, Samstag. Dann war die Welt fertig und der Herr hat eine Pause gemacht. Diesen siebten Tag hatte er besonders gern. Auch für die Menschen in den deutschsprachigen Ländern war und ist der Sonntag etwas Besonderes und so haben wir eine ganze Reihe Wörter, die mit „Sonntags ...“ beginnen.

Früher hatten die meisten Menschen wenig Geld und mussten viel arbeiten. In den letzten Jahrzehnten hat sich unser Leben sehr verändert. Heute sitzt man die ganze Woche vor dem Computer und möchte wenigstens am Wochenende etwas unternehmen. Manche unserer „Sonntags-Wörter“ sind also heute vielleicht ein bisschen altmodisch. Trotzdem verwenden wir sie gern und oft. In unserem kleinen Glossar möchten wir sie Ihnen nun vorstellen.

# Glossar

**A  ...braten**

Ein besonders guter und leckerer Braten. Nur wenige reiche Leute haben früher mehrmals in der Woche Fleisch gegessen. Für die meisten war es viel zu teuer. Wenn sie doch mal Fleisch hatten, dann am Sonntag.

**C  ...kleid und ...anzug**

Die Kleidung der meisten Menschen war früher sehr einfach. Nur für den Kirchgang am Sonntag oder für besondere Feste hatte man bessere Sachen zum Anziehen.

**B  ...spaziergang**

Früher hat oft die ganze Familie am Sonntagnachmittag einen gemeinsamen Spaziergang gemacht.

**1  Lesen Sie den Text und das Glossar. Erzählen Sie dann.**

A   „Sonntagsbraten“: Was essen Sie sonntags?
Gibt es bei Ihnen ein spezielles Essen für Sonntage oder Feiertage?

B   „Sonntagsspaziergang“: Wie sieht Ihr perfekter Sonntag aus?
Machen Sie auch einen Spaziergang?

C   „Sonntagskleid/-anzug“: Wann ziehen Sie sich besonders schön an? Was ziehen Sie dann an?

D   „Sonntagsfahrer“: Kennen Sie einen „Sonntagsfahrer“?
Haben Sie sich schon einmal über einen „Sonntagsfahrer“ geärgert?

E   „Sonntagszeitung“: Kennen Sie eine Sonntagszeitung? Welche?

**D ...fahrer**

So nennt man einen unsicheren, ungeüb-ten Autofahrer. Man möchte damit sagen: Der kann es nicht richtig, der fährt wohl nur am Sonntag.

**E ...zeitung**

Ein paar Zeitungen im deutschsprachigen Raum bringen auch am Sonntag eine eigene Ausga-be.

**...kind**

Sonntagskinder sind an einem Sonntag geboren. Man sagt, sie haben mehr Glück im Leben als andere Menschen.

13-19

**2** **Hören Sie das Märchen „Hans im Glück" und sehen Sie dazu die Zeichnungen an.**

Erzählen Sie das Märchen dann nach.

1 Hans: sieben Jahre gearbeitet ● Lohn – ein Stück Gold
2 Gold: sehr schwer ● Reiter: gibt Pferd ➔ Hans: gibt Gold
3 Hans: kann nicht reiten ● Bauer: gibt Kuh ➔ Hans: gibt Pferd
4 Kuh: zu alt ● Metzger: gibt Schwein ➔ Hans: gibt Kuh
5 Schwein: gehört dem Polizisten ● Mann: gibt Gans ➔ Hans: gibt Schwein
6 Mann: gibt Stein ➔ Hans: gibt Gans
7 Stein: sehr schwer – fällt ins Wasser ● Hans: sehr glücklich

> Hans hat sieben Jahre gearbeitet. Er bekommt ein Stück Gold als Lohn. Das Gold ist sehr schwer. ...

FOLGE 9: *LAMPEN-MÜLLER*

**1** Sehen Sie die Fotos 3–6 an. Wo sind Maria und Sebastian? Kreuzen Sie an.

- ☐ Auf dem Flohmarkt.
- ☐ In einem Kaufhaus.
- ☐ In einem Fachgeschäft für Lampen.

**2** Was passt? Kreuzen Sie an.

| | Flohmarkt | Fachgeschäft |
|---|---|---|
| **a** Dort kann man gebrauchte Sachen kaufen. | ☐ | ☐ |
| **b** Man bekommt eine Garantie auf die gekauften Sachen. | ☐ | ☐ |
| **c** Dort kann man handeln. | ☐ | ☐ |

CD 1 20–27    **3** Sehen Sie die Fotos an und hören Sie.

## 4 Lesen Sie den Text. Es gibt vier Fehler. Verbessern Sie die Fehler.

Maria braucht eine Schreibtischlampe. Sebastian meint, dass sie in ein
Fachgeschäft für Lampen gehen soll. Aber Maria geht lieber mit Kurt
auf den Flohmarkt. Dort gibt es verschiedene Lampions aus Plastik und
Metall. Maria kann sich nicht entscheiden. Sie kauft aber Geschenke.
Kurt ist immer noch sicher: Wenn man gute Lampen kaufen will, muss
man auf den Flohmarkt gehen. Dort bekommt man Qualität.

...........................................
...........................................
...........................................

*in ein* ...........................................

## 5 Waren Sie schon einmal auf einem Flohmarkt? Haben Sie dort etwas gekauft? Was halten Sie von Flohmärkten?

Ich war noch nie auf
einem Flohmarkt.

Ich schon, ich gehe regelmäßig
auf den Flohmarkt.

Ich war auch schon mal
auf einem Flohmarkt, aber …

**CD 1 28** **A1** **Hören Sie noch einmal und ergänzen Sie.**

**a** ● Du brauchst unbedingt eine Schreibtischlampe.
  ▲ Aber wo bekomme ich eine?
  Kennst du ein gut....... Geschäft?

**b** ▲ Sebastian sagt, dass morgen ein groß.*er.*
  Flohmarkt ist.
  ● Flohmarkt? Na und?

**c** ● Was sagt er denn?
  ▲ Sebastian meint, dass man auf dem
  Flohmarkt sehr schön....... und billig.......
  Lampen kaufen kann.

**d** ▲ Aber die Form finde ich nicht so schön.
  Haben Sie denn keine rund....... Lampe?

| der/den Flohmarkt | ein | großer | Flohmarkt / einen großen Flohmarkt |
|---|---|---|---|
| das Geschäft | ein | gutes | Geschäft |
| die Lampe | eine | runde | Lampe |
| die Lampen | – | billige | Lampen |

*auch so:* kein, keine; keinen; *aber:* ▲ keine **billigen** Lampen

**CD 1 29** **A2** **Auf dem Flohmarkt: Hören Sie und variieren Sie.**

**a** ■ Schau mal, da ist ein schöner Stuhl.
  ▲ Oh ja, der ist wirklich schön.

*Varianten:*
(das) Radio (alt) ● (die) Zuckerdose (süß) ●
Bücher (interessant)

**b** ■ Schau mal, da ist eine alte Lampe.
  ▲ Aber du suchst doch einen alten Stuhl
  und keine alte Lampe.

*Varianten:*
(die) Mütze – dick – (der) Schal ●
(die) Kanne – blau – (der) Teller

**CD 1 30** **A3** **Auf dem Flohmarkt: Ergänzen Sie die Gespräche.**
**Hören Sie dann und vergleichen Sie.**

der Sessel, -     die Kamera, -s
das Besteck, -e   der Anzug, ¨e

**1** ● Was suchst du denn?
  ▲ Einen alt....... Sessel.

**2** ▲ Schau dir das an, so ein toll........ Silberbesteck!
  Messer, Gabeln, groß....... und klein....... Löffel,
  alles da!

**3** ● Weißt du, ich suche so eine mechanisch....... Kamera.
  ▼ Die bekommt man jetzt ganz billig. Die Leute
  wollen keine mechanisch........ Kameras mehr.

**4** ▲ Brauchst du nicht
  auch noch  klein....... Gläser?
  ● Stimmt, ich habe ja noch gar keine.

**5** ■ Das letzte Mal habe ich einen
  total elegant........ Anzug gekauft.
  Super günstig und wie neu!

**6** ● Entschuldigung, haben Sie
  denn keine tief........ Teller?

**A4** **Machen Sie ein Plakat: Sie wollen Ihr Klassenzimmer verschönern.**
**Sie gehen auf den Flohmarkt. Was kaufen Sie?**

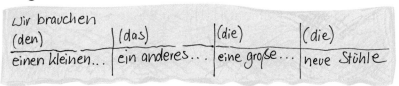

Wir brauchen
(den)          (das)              (die)           (die)
einen kleinen...  ein anderes...    eine große...   neue Stühle

**31**

**B1** **Hören Sie noch einmal und variieren Sie.**

● Auf dem Flohmarkt kann man sehr schöne
und billige Lampen kaufen.

▲ Auf dem Flohmarkt? Bei einer neuen Lampe
hast du Garantie.

*Varianten:*
(der) Wecker, - ● (das) Radio, -s ● (die) Uhr, -en ● Handys

| bei | einem | | Wecker |
|-----|-------|-------|--------|
| mit | einem | neuen | Radio |
| ... | einer | | Lampe |
| | – | | Lampen |

*auch so:* keinem, keiner, keinen

**32**

**B2** **Im Kaufhaus: Ordnen Sie die Gespräche den Abteilungen zu.**
**Ergänzen Sie. Hören Sie dann und vergleichen Sie.**

**1** ● Entschuldigung, können Sie mir helfen? Wo finde ich Turnschuhe mit ein......... weich......... Sohle?

**2** ▼ Verzeihung. Wo finden wir denn ein Topf-Set mit ein......... klein......... Milchtopf?

**3** ▲ Ich suche für meine Enkelin eine Puppe mit lang........ Haaren.

**4** ■ Wir suchen einen Fernseher mit ein......... flach......... Bildschirm.

◆ Fernseher sind ganz da hinten. Da finden Sie auch welche mit flach......... Bildschirmen.

die Sohle, -n
der Milchtopf, ⁻e
der Bildschirm, -e

☐ **Haushaltswaren**          ☐ **Sport**

☐ **Elektronik**          ☐ **Spielwaren**

**B3** **Richten Sie ein Wohnzimmer ein. Zeichnen Sie und sprechen Sie zu zweit.**

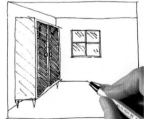

**der Tisch:** ein klein... / ... Tisch mit einer eckig... / ... Platte aus Glas

**der Schrank:** ein groß... / ... Schrank mit schwarz... / ... Türen

**das Regal:** ein klein... / groß... Regal aus Holz / aus Metall

**das Sofa:** ein braun... / ... Sofa aus Stoff

**die Lampe:** eine modern... / ... Lampe aus Kunststoff

aus
Holz
Glas
Metall
Stoff
Kunststoff

▲ Also, neben das Fenster stellen
wir einen großen Schrank
mit schwarzen Türen.

● Ja, das sieht gut aus.

▲ Und hier ein braunes Sofa aus Stoff.

● Ein braunes Sofa? Das passt
doch nicht zu einem Schrank
mit schwarzen Türen.

**Schon fertig?**

Richten Sie Ihre Küche,
Ihr Schlafzimmer ... ein.

**CD 1 33**

**C1**  **Hören Sie noch einmal und ergänzen Sie.**

schöner ● schön ● am schönsten

| schön | (+) | – |
|---|---|---|
| schön**er** | (++) | -er |
| **am** schön**sten** | (+++) | am ...-sten |

- ■ Die ist ganz ........................................ , oder?
- ● Hm, ich weiß nicht, ich finde die hier ........................................ .
- ■ Hey, die da! Die gefällt mir sehr gut!
- ● Ja, stimmt, die finde ich auch ........................................ ,
  aber leider ist sie aus Plastik.

**CD 1 34**

**C2**  **Auf dem Jahrmarkt: Ergänzen Sie. Hören Sie dann und vergleichen Sie.**

**1** Gemüsereibe

... Damit reiben Sie Ihre Karotten und Gurken

noch *kleiner*........................ (klein ++), ........................ (fein ++)

und ........................ (sicher ++).

Warten Sie nicht ........................ (lang ++)! ...

**2** Wunderputztuch

... Es ist ........................ (gut ++)

und ........................ (gesund ++) für Ihre Haut und

reinigt noch ........................ (gründlich ++).

Greifen Sie zu, denn jetzt ist es für Sie

........................ (interessant +++):

Drei Tücher zum Preis von einem!

**3** Deckelöffner

... Der Deckel öffnet sich ........................ (leicht ++) und ........................ (schnell ++). ...

Jetzt ist die Auswahl noch ........................ (groß +++).

**CD 1 35**

**C3**  **Hören Sie und variieren Sie.**

| lang | länger | am längsten |
|---|---|---|
| groß | größer | am größten |
| gesund | gesünder | am gesündesten |
| interessant | interessanter | am interessantesten |

- ● Soll ich den Koffer nehmen?
  Ist der wirklich so praktisch wie die Reisetasche?
- ▲ Nein, auf keinen Fall! Nimm die Reisetasche.
  Sie ist viel praktischer als der Koffer.

schöner als ...
so schön wie ...

*Varianten:*
(der) Rock / (die) Hose – hübsch ● (das) Fahrrad / (der) Roller – schnell ●
(der) Computer / (der) Laptop – gut ● ...

## C4 Juliane hat viele Interessen.

**a** Was mag sie? Was macht sie gern / lieber …? Sprechen Sie.

| | | | |
|---|---|---|---|
| **Ausgehen:** | Theater ++ | Kino ++ | Fußballstadion +++ |
| **Musik:** | Jazz + | Rock ++ | Hip-Hop +++ |
| **Sport:** | Tischtennis + | Tennis ++ | Fußball +++ |
| **Essen:** | Pizza + | Salat ++ | Pudding +++ |
| **Städte:** | London + | Prag ++ | Istanbul +++ |

> Juliane findet Rockmusik schöner als Jazz. Am schönsten findet sie Hip-Hop.

> Sie geht genauso gern ins Kino wie ins Theater. Am liebsten …

**b** Juliane hat Geburtstag. Was schenken Sie ihr? Sie haben 40 Euro. Bilden Sie Gruppen. Wählen Sie mindestens drei verschiedene Dinge aus dem Schaufenster. Sprechen Sie.

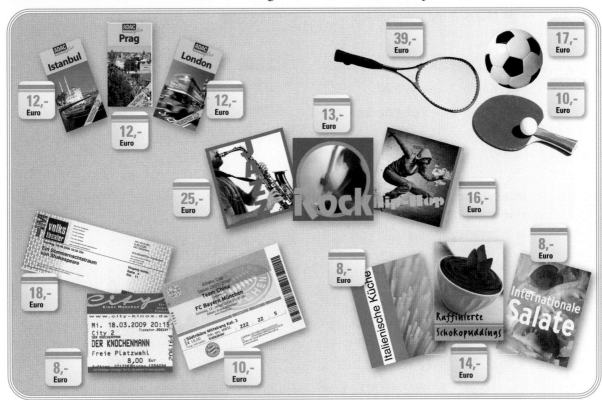

▲ Also, ich schlage vor, wir kaufen eine Karte fürs Kino.
■ Aber sie geht doch lieber ins Stadion. Und das ist nur zwei Euro teurer als eine Kinokarte.
● Ja, und eine CD finde ich auch gut. Sie mag am liebsten Hip-Hop.
▲ Die kostet aber mehr als die Rock-CD. Und sie mag …

## C5 Im Kurs: Machen Sie ein „Plakat der Superlative". Finden Sie weitere Fragen.

> Wer ist … (groß/jung)? ● Wer ist … (lang) verheiratet? ● Wer wohnt … (weit) entfernt? ●
> Wo kauft man … (billig) ein? ● Wo isst man … (günstig)? ● …

▲ Wer ist am größten? Vielleicht Semir oder Adil?
● Also, ich bin 1,86 m. Und du, Adil?
▼ Ich bin größer. 1,92 m.

> *Wer ist am größten?*
> *Adil 1,92 m*

## D1 Was meinen Sie: Wofür geben die Leute in Deutschland am meisten Geld aus?

Ergänzen Sie die Statistik. Vergleichen Sie im Kurs und mit den Ergebnissen unten.

Nahrungsmittel ● Miete (+ Strom, Wasser, Heizung, ...) ● Kleidung ● Versicherungen ●
Kommunikation (Internet, Telefon, Post, ...) ● Unterhaltung (Sport, Urlaub, Kultur, ...)

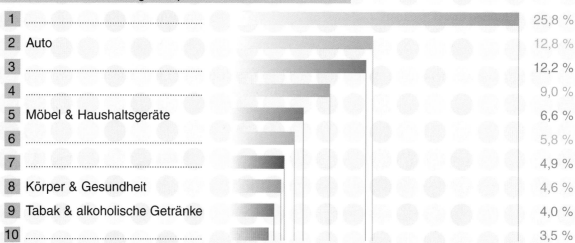

**Wofür wir am meisten Geld ausgeben**

Monatliche Konsumausgaben privater Haushalte in Prozent

| | |
|---|---|
| 1 ............................................ | 25,8 % |
| 2 Auto | 12,8 % |
| 3 ............................................ | 12,2 % |
| 4 ............................................ | 9,0 % |
| 5 Möbel & Haushaltsgeräte | 6,6 % |
| 6 ............................................ | 5,8 % |
| 7 ............................................ | 4,9 % |
| 8 Körper & Gesundheit | 4,6 % |
| 9 Tabak & alkoholische Getränke | 4,0 % |
| 10 ............................................ | 3,5 % |

Auflösung: 1 Miete  3 Nahrungsmittel  4 Unterhaltung
6 Versicherungen  7 Kleidung  10 Kommunikation

## D2 Interviews: Wofür geben die Leute ihr Geld aus?

Was ist richtig? Hören Sie und kreuzen Sie an.

**1**

Sie gibt ihr Geld
am liebsten für ... aus.

☐ Urlaub
☐ Kleidung
☐ Kultur

**3**

Er gibt am meisten
für ... aus.

☐ seine Kinder
☐ den Urlaub
☐ Miete, Auto,
Versicherung, Gas

**2**

Was ist ihm wichtiger?

☐ Ein neuer MP3-Player.
☐ Eine neue Musikanlage.
☐ Der MP3-Player ist ihm
genauso wichtig wie die
Kamera.

**4**

Sie müssen einen Kredit
für ... aufnehmen.

☐ ein neues Auto
☐ einen langen Urlaub
☐ eine eigene Wohnung

**D3** **Welcher Prospekt passt? Ordnen Sie zu.**

Anzeigenblatt

**a** Dimka Nowak möchte zu Hause Sport machen. Sie hat wenig Platz in ihrer Wohnung. ☐
Sie sucht ein kleines Fitnessgerät.

**b** Maria Schwans Enkel haben Geburtstag. Es sind Zwillinge, zwei Jungen. ☐
Sie werden vier Jahre alt. Maria sucht günstige Spielsachen.

**c** Die Fabers haben ihr Bad renoviert und möchten es nun neu einrichten. ☐

**d** Fuad Kayed zieht aus und muss vorher seine alte Wohnung neu streichen. ☐

**A**

ESS & BAD & FU

Möbel fürs Bad

ab **29,**99

Bad Möbel-Serie

WC-Set **12,**99

Brause **5,**99

WC-Sitz **7,**99

Waage **12,**99

**B**

KIDS & HI

Kids

Wasch-lappen je **1,**99

jedes

Plüsch-tier **4,**99

Kinder-socken 3er-Pack je **4,99**

Super-Tischuhr quarzgenau **12,**99

**C**

markt für Prof

Dispersions-Farbe 10 l
für den Innenbereich nach DIN EN 13300
• Lösemittelfrei
• Waschbeständig
• Weiß stumpfmatt

STIFTUNG WARENTEST **GUT**
9/99 test

Wandfarbe 10 l **18,**98

Pinsel je **0,98**

**D**

LLES SUP

Hanteln 2 Stück je 2,5 kg **9,**99

Fitness- **2,**5

crane

skip4

Elektronische Waagen

CURAmed

Messung von:
● Gewicht
● Körperfett
● Körperwasser

**29,**99

2 Nopp

**2,**79

---

**D4** **Wofür geben Sie Geld aus und wie kaufen Sie ein?**

Kreuzen Sie an und erzählen Sie.

| **Wofür geben Sie Geld aus?** | **Was kaufen Sie am liebsten?** | **Achten Sie auf Sonderangebote?** | **Wenn ja, wo schauen Sie?** |
|---|---|---|---|
| ☐ Urlaub | ☐ Möbel | ☐ Ja. | ☐ In der Zeitung. |
| ☐ Kleidung | ☐ Elektrogeräte | ☐ Nein. | ☐ In Prospekten. |
| ☐ Elektrogeräte | ☐ Kleidung | ☐ Oft. | ☐ Beim Einkaufsbummel. |
| ☐ Miete/Wohnung | ☐ ... | ☐ Manchmal. | ☐ Im Internet. |
| ☐ Auto | | ☐ Selten. | |
| ☐ ... | | | |

*Am meisten / Sehr viel gebe ich für ... aus.*    *Ich gebe nicht viel Geld für ... aus.*
*Ich kaufe am liebsten ...*    *Das ist mir wichtig / nicht wichtig.*
*Ich achte immer auf ...*    *Da spare ich (nicht).*

Am meisten gebe ich sicher für meine Miete aus.

Ich kaufe am liebsten Kleidung.

Ich achte immer auf Sonderangebote. Am liebsten bei einem Einkaufsbummel. Das macht auch Spaß.

**E1**    **Lesen Sie den Text. Welche Überschrift passt? Kreuzen Sie an.**

## ☐ Achtung beim Einkaufen im Fernsehen!
## ☐ Billig einkaufen im Fernsehen

Wer heutzutage einkaufen will, kann bequem von zu Hause aus bestellen: Kataloge, Teleshopping, … – aber auch Supermärkte und Kaufhäuser liefern auf Anruf nach Hause. Beim Teleshopping soll der Kunde nicht lange nachdenken, sondern spontan einkaufen. Die Verkaufssendungen laufen 5 den ganzen Tag pausenlos auf eigenen Fernsehkanälen. Dort heißt es dann: „Diese Waren sind einmalig und nur hier zu haben" oder: „Die Bestellung ist ohne jedes Risiko". Doch das stimmt oft nicht. Die Produkte sind oft teuer und von schlechter Qualität. Achtung: Man zahlt auch nicht nur für die Ware, sondern auch für den Versand und das Telefon. 10 Teleshopping ist deshalb häufig teurer, als man denkt!

**E2**    **Lesen Sie den Text aus E1 noch einmal. Was ist richtig? Kreuzen Sie an.**

**a** Man kann auch im Fernsehen einkaufen: Man nennt das Teleshopping. ☐
**b** Die Verkaufssendungen laufen nicht regelmäßig im Fernsehen. ☐
**c** Die Produkte sind nicht immer gut. ☐
**d** Beim Teleshopping zahlt man nur das Produkt. ☐

> pausenlos
> =
> ohne Pause

> **Schon fertig?**
> Finden Sie noch mehr Wörter mit -*los*.

CD 1 40

**E3**    **Teleshopping**

**a** Hören Sie das Gespräch. Ergänzen Sie oder kreuzen Sie an.

### Exklusive Kollektionen in Silber. Nur heute!

*Schmuckset Christine*
**Kette und Ohrringe
aus 925er Silber
nur noch 37 Stück**

**79 Euro**
**Artikelnr. 783499**

*Schmuckset Julie*
**Kette und Ohrringe
aus 925er Silber
mit passendem Ring
nur noch 55 Stück**

**99 Euro**
**Artikelnr. 783498**

| Menge: | ☐ Stück | Bezahlung: | ◉ per Kreditkarte |
| Artikelbezeichnung: | ☐ | | ◉ Überweisung |
| Artikelnummer: | ☐ | | ◉ per Nachnahme |
| Versandart: | ◉ Normalversand ◉ Express | | |
| Lieferadresse: | Christian Müller, Schulstraße 52, | Versandkosten: | ◉ € 5,95   ◉ € 15,95 |
| | 34131 ☐ | | |

**b** Was wollte Herr Müller kaufen? Was kauft er am Ende? Warum? Sprechen Sie.

**E4**    **Haben Sie auch schon etwas von zu Hause bestellt? Erzählen Sie.**

Wie haben Sie bestellt: Über Teleshopping oder über das Internet?
Kaufen Sie lieber im Internet oder über das Telefon ein oder gehen Sie lieber in ein Geschäft? Warum?

# Grammatik

## 1 Adjektivdeklination: unbestimmter Artikel

|  | Nominativ | | | Akkusativ | | | Dativ | | |
|---|---|---|---|---|---|---|---|---|---|
| maskulin | ein | großer | Wecker | einen | großen | Wecker | einem | großen | Wecker |
| neutral | ein | großes | Radio | ein | großes | Radio | einem | großen | Radio |
| feminin | eine | große | Lampe | eine | große | Lampe | einer | großen | Lampe |
| Plural | – | große | Lampen | – | große | Lampen | – | großen | Lampen |

*auch so:* kein, keine, keinen, keinem, keiner; *aber*: keine großen Lampen

-------▶ ÜG, 4.01

## 2 Komparation

| Positiv + | Komparativ ++ | Superlativ +++ | |
|---|---|---|---|
| schön | schöner | am schönsten | |
| interessant | interessanter | am interessantesten | -d/-t + esten |
| ▲ lang | länger | am längsten | |
| groß | größer | am größten | |
| gesund | gesünder | am gesündesten | |

-------▶ ÜG, 4.04

## 3 Vergleichspartikel: *als, wie*

praktischer **als** ...
Die Reisetasche ist praktischer **als** der Koffer.
so gut **wie**
Ist der Computer so gut **wie** der Laptop?

-------▶ ÜG, 4.04

## 4 Wortbildung

Nomen → Adjektiv
die Pause      pausenlos
(= ohne Pause)

-------▶ ÜG, 11.02

## Wichtige Wendungen

### eine Äußerung einleiten

Entschuldigung. Können Sie mir helfen? •
Verzeihung. Haben Sie ...? •
Wo finde ich ...? / Ich suche ...

### Vorlieben ausdrücken

Wofür geben Sie am liebsten / am meisten Geld aus?
Ich gebe am liebsten / am meisten Geld für ... aus.
Ich gebe lieber Geld für ... aus.
Das ist mir wichtig / nicht wichtig.
Ich kaufe am liebsten ...
Ich achte immer auf ...
Da spare ich (nicht).

Haben Sie zu Hause auch so viele Sachen? Die meisten Dinge sind einfach nur da und sagen uns nichts. Aber manche erinnern uns an etwas, sie erzählen uns eine Geschichte. Es können die unterschiedlichsten Erinnerungen sein, lustige, traurige oder schöne. Valentina May ist 28 Jahre alt, in Triest geboren und lebt jetzt in Hamburg. Sie zeigt drei von ihren Sachen und erzählt uns auch die Geschichten dazu.

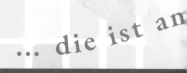

*Die finde ich am hässlichsten ...*

*... die ist am*

Diese Tänzerin aus Porzellan hat mir meine Tante zum 18. Geburtstag geschenkt. „Das ist ein altes und sehr teures Kunstwerk", hat sie gesagt. Mein erster Gedanke war: Oje, ist die hässlich! Ich wollte aber meiner Tante nicht wehtun, also habe ich die Tänzerin auf den schönsten Platz im Regal gestellt. Es ist ja nur für ein paar Tage, habe ich gedacht. Das war ein schlimmer Fehler. Inzwischen bin ich schon dreimal umgezogen, aber meine Tante guckt noch immer bei jedem Besuch nach, ob ihr „wertvolles Geschenk" am richtigen Platz steht.

1 **Was meinen Sie?**

  **a** Sehen Sie die Fotos an. Wie gefallen Ihnen die Porzellanpuppe, der Harlekin und der Drache?

  **b** Lesen Sie nun die Einleitung und die Überschriften.
- Von wem hat Valentina May die Sachen wohl bekommen?
- Warum findet sie diese Sachen wohl hässlich, schön oder lustig?

2 **Lesen Sie nun den ganzen Text. Beantworten Sie dann die Fragen aus 1 noch einmal.**

## ... und die finde ich am lustigsten.

Den grünen Drachen hat mir Alexander geschenkt. Das war bei unserem zweiten Treffen. Wir sitzen in einem Restaurant und plötzlich stellt er diesen Drachen neben meinen Teller. Ich frage: „Hey, was willst du mir denn damit sagen?" Er antwortet: „Drachen bringen Glück." Später, zu Hause, sehe ich mir den Drachen noch mal an und da sehe ich ein Papier in seinem Mund. Ich hole es raus und darauf steht: „Hallo Valentina! Ich glaube, Alex liebt dich." Ich habe den Zettel wieder reingesteckt. Er ist heute noch drin.

## chönsten ...

Den kleinen Harlekin hat mein Neffe Ernesto für mich gemacht. Das war vor fünf Jahren. Damals ist es mir ziemlich schlecht gegangen. Ich hatte große Probleme mit meiner Gesundheit. Meiner Familie habe ich davon nichts erzählt. Aber Kinder merken so was ja trotzdem. Eines Tages ist Ernesto gekommen und hat den Harlekin auf den Tisch gestellt. „Den habe ich für dich gemacht", hat er gesagt. „Er ist ganz lieb zu dir und deshalb musst du jetzt mal wieder lachen." Ist das nicht süß? Ich freue mich jedes Mal, wenn ich diese kleine Figur sehe.

**3**  **Welche von Ihren Sachen finden Sie besonders hässlich, schön oder lustig?**

Stellen Sie sie im Kurs vor. Bringen Sie sie oder ein Bild davon mit und erzählen Sie:

■ Wie oder von wem haben Sie sie bekommen?
■ Warum finden Sie sie hässlich, schön oder lustig?

FOLGE 10: *KUCKUCK!*

## 1 Paket oder Päckchen? Ordnen Sie zu.

das Paket ☐
der Aufkleber ☐
der Absender ☐
der Empfänger ☐
das Päckchen ☐

## 2 Sehen Sie die Fotos an und schreiben Sie mit Ihrer Partnerin / Ihrem Partner zu jedem Foto ein bis zwei Sätze.

Kuckucksuhr → Maria → Susanne → verpacken Karton → Karton und Geschenk wiegen ?? Gramm → Post schicken → Päckchen? Paket? → ??

| Foto 1 | Maria kauft auf dem Flohmarkt ... |
|--------|-----------------------------------|
| Foto 2 | Maria ...                         |

**3**     Stellen Sie einige Geschichten im Kurs vor.

41-48    **4**     Sehen Sie die Fotos an und hören Sie.

**5**     Vergleichen Sie Ihre Geschichte mit der Hörgeschichte.
Notieren Sie die Unterschiede.

|        | Meine Geschichte                              | Die Hörgeschichte |
|--------|-----------------------------------------------|-------------------|
| Foto 1 | Maria kauft auf dem Flohmarkt eine Kuckucksuhr. | ✓               |
| Foto 2 | Maria schenkt Susanne die Uhr.                | zeigt             |

# A | Was für eine Verpackung soll ich denn nehmen?

CD 1 49

**A1** **Hören Sie noch einmal und variieren Sie.**

▲ Was für eine Verpackung soll ich denn nehmen?
● Moment, ich sehe mal nach.

*Varianten:*
(das) Formular ● (der) Aufkleber ● Briefmarken

| Was für | einen | Aufkleber |
| --- | --- | --- |
| | ein | Formular |
| | eine | Verpackung |
| | – | Briefmarken |

CD 1 50

**A2** **Auf der Post: Hören Sie und ordnen Sie zu. Ergänzen Sie dann die Gespräche.**

**1** ● Guten Tag. Ich möchte einen wichtigen Brief verschicken. Ich muss sicher sein, dass er ankommt! *Was für eine* ............ Möglichkeit gibt es denn da?
■ Dann müssen Sie diesen Brief als Einschreiben senden.

**2** ▼ Ich möchte ein Paket abholen.
▲ Haben Sie den Abholschein und Ihren Ausweis dabei?
▼ ............................................. Schein?
▲ Den Abholschein, diese rote Karte …

> **Schon fertig?**
> Was schicken Sie Ihrer Familie, Ihren Freunden …?
> Was brauchen Sie?
> Sammeln Sie.

**3** ● Ich habe hier einen Brief nach Südafrika. Was kostet der denn?
▼ Geben Sie mal her – hm, 250 Gramm. Das macht 8,– Euro.
● Gut, dann brauche ich Briefmarken.
▼ ............................ Briefmarken möchten Sie – Sondermarken oder normale Briefmarken?

**4** ● Ich habe hier ein sehr eiliges Paket nach Ägypten.
■ Das können Sie als Eilsendung verschicken. Aber Sie müssen auch einen Aufkleber mit einer Zollerklärung ausfüllen.
● ............................................. Erklärung?
■ Diese Zollerklärung hier. Da müssen Sie reinschreiben, was in dem Paket ist und was es wert ist.

**A3** **Rollenspiel: Spielen Sie Gespräche auf der Post.**

senden → die Sendung
verpacken → die Verpackung

| Kunde/Kundin | Postbeamter/Postbeamtin |
| --- | --- |
| Sie haben einen wichtigen Brief. Er muss unbedingt ankommen. Möglichkeiten? | Brief als Einschreiben schicken |
| Sie wollen ein Paket abholen. | Abholschein und Ausweis dabei? |
| Sie wollen ein Paket in Ihr Heimatland senden. Formular? | Paketschein + Zollerklärung ausfüllen |

> **Schon fertig?**
> Finden Sie noch mehr Wörter mit *-ung*.

Einen Moment
Einen Augenblick, bitte.

**B1** **Hören Sie noch einmal und ergänzen Sie.**

werden ● wird

● Hier, für Päckchen ........................... diese Formulare benutzt.
Und hier müssen Sie den Absender reinschreiben.

▲ Aha ... und den Empfänger?

● Hier ........................... die Adresse reingeschrieben. Sehen Sie? Hier.

| wird | reingeschrieben |
| werden | |

Die Adresse wird reingeschrieben. = **Man** schreibt die Adresse rein.

**B2** **Ein Brief ist unterwegs: Ordnen Sie zu und ergänzen Sie dann.**

A B C D E

☑ C Der Brief ....*wird*.......... eingeworfen.

☐ Der Briefkasten ........................... geleert.

☐ Dann ........................... die Briefe sortiert.

☐ Danach ........................... sie transportiert.

☐ Der Brief ........................... zum Empfänger gebracht.

**B3** **Lesen Sie und lösen Sie das Quiz.**

## Wir bleiben in Kontakt, ja?

**Aber sicher! Mit den modernen Kommunikationsmitteln ist das so einfach wie nie zuvor. Per Mobiltelefon oder Internet erreicht man seinen Gesprächspartner in Sekunden – im Haus nebenan oder auf einem anderen Kontinent. Deshalb nützen auch viele Menschen in Deutschland die neuen Technologien. Wie viele? Testen Sie Ihr Wissen mit unserem kleinen Quiz!**

1 Wie viele Briefsendungen werden täglich verschickt? — A 72 Millionen. B 18 Millionen.

2 Wie lange ist ein Brief durchschnittlich unterwegs? — A 2,30 Tage. B 1,06 Tage.

3 Seit wann gibt es das Telefon? Und das Handy? — A 1877 und 1983. B 1567 und 1956.

4 In welchem Alter erhalten Kinder im Durchschnitt ihr erstes Handy? — A Mit 9,7 Jahren. B Mit 12,2 Jahren.

5 Wie viele Kurzmitteilungen per Handy (SMS) werden jährlich verschickt? — A Ca. 24 Milliarden. B Ca. 24 Millionen.

6 Seit wann gibt es das World Wide Web (www)? — A Seit 1984. B Seit 1993.

7 Wie viele E-Mails werden weltweit jährlich verschickt? — A Ca. 10 Milliarden. B Ca. 1000 Milliarden.

Lösung S. 37

**B4** **Kursstatistik: Wie viele Briefe, SMS, E-Mails ... im Monat?**

a Sprechen Sie in Gruppen.

● Vladimir, wie viele SMS verschickst du im Monat?

▲ Gar keine! Ich habe kein Handy.

■ Maureen, wie viele Briefe schreibst du im Monat?

| | Briefe | SMS | E-Mails | surft im Internet |
|---|---|---|---|---|
| Vladimir | 1 | 0 | 28 | |
| Maureen | 2-3 | | | |

b Fragen und antworten Sie im Kurs.

Wie viele E-Mails werden in eurer Gruppe im Monat verschickt?

Ungefähr 95.

CD 1 52 **C1** **Hören Sie noch einmal und variieren Sie.**

■ Ist die Uhr in Ordnung?
● Die alte Kuckucksuhr? – Natürlich.

*Varianten:*
der alt... Computer ● das alt... Radio ● die alt... Kameras

| der | **alte** | Computer |
| das | **alte** | Radio |
| die | **alte** | Uhr |
| die | **alten** | Kameras |

CD 1 53 **C2** **Hören Sie und ergänzen Sie.**

**1**
*Der neu..... Katalog mit den aktuell.... Modellen ist da!*

**2**
Mit dem neu.... *Handy von listex* ist alles möglich, und bei uns müssen Sie keinen teuren Vertrag abschließen.

**3**
Die verrückt......... **Handytaschen** von **Diana** unter **www.diana.de** Einfach anklicken und bestellen!

**4**
Die multifunktional..... Kamera Olyion XC passt in jede Handtasche. Auch in Ihre!

**5**
Schluss mit Langeweile – kaufen Sie jetzt den digital....... DVD-Player Michiko 502.

**6**
Besorgen Sie sich den neu..... Computer von **Spirit o5** – ohne ihn geht nichts mehr in der modern..... Bürokommunikation.

| Kaufen Sie | den | **neuen** | DVD-Player | mit | dem | **neuen** | DVD-Player |
| | das | **neue** | Handy | | dem | | Handy |
| | die | **neue** | Kamera | | der | | Kamera |
| | die | **neuen** | Handytaschen | | den | | Handytaschen |

⇄ **C3** **Was gefällt Ihnen? Wie finden Sie ...? Sprechen Sie mit Ihrer Partnerin / Ihrem Partner.**

Mir gefällt das blaue Handy mit den gelben Punkten.

Ich finde die alten Telefone sehr schön.

Ich finde den grünen Computer mit dem großen Bildschirm gut.

Streifen
Punkte

**Schon fertig?**
Schreiben Sie Anzeigen wie in C2.

54

## D1 Klingeltöne

a Hören Sie die Klingeltöne. Welcher gefällt Ihnen am besten?
b Haben Sie selbst ein Handy? Welchen Klingelton hat es? Spielen Sie ihn vor.

## D2 Lesen Sie den Test und kreuzen Sie an.

# Welcher „Handytyp" sind Sie?

**Ständiges Klingeln in der Bahn, in der Kneipe, auf der Straße. Ihre Freundin telefoniert beim romantischen Abend zu zweit, man kann Sie überall erreichen ...**

**Sind Sie genervt? Oder lässt es Sie kalt? Sind Sie der Handy-Freak oder eher der Handy-Hasser? Das sagt Ihnen unser Test!**

| | stimmt | stimmt teilweise | stimmt nicht |
|---|---|---|---|
| 1 Ohne mein Handy gehe ich nirgends hin. | 3 | 2 | 1 |
| 2 Ich warte ständig auf einen Anruf oder auf eine Nachricht. | 3 | 2 | 1 |
| 3 Ich benutze mein Handy nur im Notfall. | 1 | 2 | 3 |
| 4 Ich schicke gern Kurznachrichten, weil ich damit Zeit spare. | 3 | 2 | 1 |
| 5 Im Restaurant: Meine Freundin / Mein Freund wird angerufen und telefoniert eine Weile. Das finde ich unmöglich. | 1 | 2 | 3 |
| 6 In der Straßenbahn: Neben mir sitzt ein Mann. Er telefoniert sehr laut. Ich finde das ziemlich unangenehm. | 1 | 2 | 3 |
| 7 Auf einer Geburtstagsfeier: Ich unterhalte mich mit einem Gast. Plötzlich klingelt sein Telefon. Er entschuldigt sich und telefoniert. Das stört mich nicht. | 3 | 2 | 1 |

angenehm ←→ unangenehm
(= nicht angenehm)

## D3 Wie viele Punkte haben Sie? Lesen Sie nun Ihre Auflösung.

■ **18 – 21 Punkte: Der Handy-Freak!**
Sie können ohne Ihr Handy nicht leben. Schon morgens, wenn Sie aufstehen, schalten Sie Ihr Handy an und schreiben Ihre erste Nachricht. Manchmal merken Sie nicht, dass Sie Ihre Mitmenschen stören. Ein Gespräch unter vier Augen tut Ihnen und Ihren Freunden sicherlich mal wieder gut – und Ihrer Geldbörse auch.

■ **10 – 17 Punkte: Der Handy-Normalo!**
Nicht zu viel und nicht zu wenig! Sie telefonieren gern, freuen sich auch mal über eine Kurznachricht. Aber Sie treffen genauso gern Ihre Freunde und reden mit ihnen.

■ **7 – 9 Punkte: Der Handy-Hasser!**
Handys sind für Sie ziemlich schlimm. Sie finden: Früher konnte man doch auch ohne Handy leben! Sicher! Sehen Sie aber auch die positiven Seiten. Und: Seien Sie doch tolerant mit Ihren Mitmenschen.

## D4 Passt das Ergebnis zu Ihnen? Sprechen Sie.

Also, der Test sagt, ich bin der Handy-Freak. Das stimmt. Ich telefoniere wirklich sehr gern mit dem Handy.

**Schon fertig?**
Schreiben Sie Ihrer Nachbarin / Ihrem Nachbarn eine SMS.

**E1** Hören Sie die Ansagen auf Heinz' Anrufbeantworter. Was hat Heinz falsch verstanden? Notieren Sie Stichworte und sprechen Sie.

| | Ansage | Heinz |
|---|---|---|
| 1 | | 15 Uhr |
| 2 | | Schwimmen |
| 3 | | |

Heinz sollte um ... am Bahnhof sein. Aber er wartet ...

**E2** Entschuldigung! Nachrichten auf dem Anrufbeantworter.

**a** Hören Sie und kreuzen Sie an. Was ist richtig?

Heinz entschuldigt sich bei Elke. Er ist nicht pünktlich zum Bahnhof gekommen, weil ...

☐ er ihre Nachricht falsch verstanden hat.     ☐ er lange arbeiten musste.

**b** Sie möchten sich entschuldigen. Sprechen Sie Nachrichten auf den Anrufbeantworter.

| Sie wollten einen Freund vom Bahnhof abholen. Sie haben es vergessen. | Sie haben einen Termin beim Arzt verpasst, weil die S-Bahn Verspätung hatte. | Sie konnten mit Ihren Freunden nicht ins Kino gehen, weil Ihr Sohn krank war. |
|---|---|---|

*Hallo, hier ist ...*
*Es tut mir schrecklich leid, dass ...*
*Entschuldigung! / Entschuldige! / Entschuldigen Sie ...*
*Ich konnte nicht ..., weil ...*
*Ich wollte ..., aber ...*
*Ich melde mich wieder.*
*Auf Wiederhören. / Tschüs.*

**Schon fertig?**
Überlegen Sie sich andere Situationen und originelle Entschuldigungen.

**E3** Hören Sie sechs Ansagen. Ergänzen Sie die Notizen.

**1**
*Elternbeirat:*
*Treffen am .............................*
*um 20 Uhr*
*im Gasthof Schuster*

**2**
*Konsulat*
*Ausweis verlängern ⟶ 194*
*Visum beantragen ⟶ ...............*
*Allgemeine Fragen ⟶ ...............*

**3**
*⟶ Max*
*Geldbörse und Monatskarte vergessen!*
*Handy: ...............*

**4**
*Dr. Camerer*
*Termine verschoben!*
*Untersuchung: 3.5. um ...........*
*Grippeimpfung: 1.5. um 8 Uhr*
*Praxis anrufen!*

**5**
*Reinigung*
*Neue Adresse ab 1.10.:*
*.....................................*

**6**
*⟶ Andreas*
*Handball heute, 18 Uhr am*
*.....................................*
*Isabel ist auch dabei!!! ☺*

# Grammatik

## 1 Frageartikel: *Was für ein ...?*

|  | Nominativ |  |  | Akkusativ |  |  |
|---|---|---|---|---|---|---|
| maskulin | Was für | ein | Aufkleber? | Was für | einen | Aufkleber? |
| neutral |  | ein | Formular? |  | ein | Formular? |
| feminin |  | eine | Verpackung? |  | eine | Verpackung? |
| Plural |  | – | Briefmarken? |  | – | Briefmarken? |

## 2 Passiv: Präsens

|  |  | *werden* |  | Partizip |
|---|---|---|---|---|
| Singular | er/es/sie | wird | ... | geschrieben |
| Plural | sie | werden | ... | benutzt |

Die Adresse   wird   hier   reingeschrieben. = **Man** schreibt die Adresse hier rein.
Die Formulare werden für Päckchen benutzt. = **Man** benutzt die Formulare für Päckchen.

········▶ ÜG, 5.13

## 3 Adjektivdeklination: bestimmter Artikel

|  | Nominativ |  |  | Akkusativ |  |  | Dativ |  |  |
|---|---|---|---|---|---|---|---|---|---|
| maskulin | der | alte | Computer | den | alten | Computer | dem | alten | Computer |
| neutral | das | alte | Radio | das | alte | Radio | dem | alten | Radio |
| feminin | die | alte | Uhr | die | alte | Uhr | der | alten | Uhr |
| Plural | die | alten | Radios | die | alten | Radios | den | alten | Radios |

········▶ ÜG, 4.02

## 4 Wortbildung

| Verb | ➔ | Nomen | Adjektiv (positiv +) | ➔ | Adjektiv (negativ –) |
|---|---|---|---|---|---|
| senden |  | die Sendung | angenehm |  | unangenehm |
| verpacken |  | die Verpackung | möglich |  | unmöglich |

········▶ ÜG, 11.01, 11.02

## Wichtige Wendungen

**sich entschuldigen**

Es tut mir schrecklich leid, dass ... •
Ich konnte nicht ..., weil ... •
Ich wollte ..., aber ...

**Gespräche auf der Post**

Ich möchte ein Paket abholen.
Ich habe einen eiligen Brief nach ...
Was für ein Formular muss ich ausfüllen?
Ich brauche Briefmarken.
Ich möchte ein Einschreiben senden.
   Was für eine Möglichkeit gibt es?

Haben Sie den Abholschein dabei?
Den können Sie als Eilsendung schicken.
Sie müssen eine Zollerklärung ausfüllen.
Einen Moment / Augenblick bitte.

Auflösung zu S. 33/B3: 1 A / 2 B / 3 A / 4 A / 5 A / 6 B / 7 B

**1. Strophe**

Ich fühle mich so unverstanden,
unglücklich und unzufrieden ...
Oh, das tut mir leid!
... und dabei so unselbstständig,
unsicher und unentschieden ...
Na, da wird es Zeit ...

**Refrain**

Sie fragen sich nun:
Was kann man da tun?
Sehen Sie: So wird das gemacht!
Weg mit dem „un"!
Einfach weg mit dem „un"!
Das geht viel leichter als gedacht.

**2. Strophe**

Das Zimmer hier ist unbequem
und unfreundlich und ungemütlich ...
Oh, das tut mir leid!
... unsauber, unaufgeräumt,
wirklich sehr unappetitlich!
Da wird es aber Zeit ...

CD 1 58

**1**    Hören Sie das Lied und singen Sie mit.

**2**    Sammeln Sie alle Wörter mit „un-"
aus dem Lied und andere.
Schreiben Sie Ihre Strophe.

**Refrain**

Weg mit dem „un"!
Weg mit dem „un"!
Es geht viel leichter als gedacht.
Weg mit dem „un"!
Einfach weg mit dem „un"!
Sehen Sie: So wird das gemacht!

3. Strophe

Mein Schwiegersohn ist unvorsichtig,
unhöflich und unerzogen ...
Oh, das tut mir leid!
... unordentlich und unpünktlich,
aus jeder Arbeit rausgeflogen!
Na, da wird es Zeit ...

4. Strophe

Dieses Lied ist unnötig und
unpassend und unmodern ...
Oh, das tut mir leid!
... und überhaupt uninteressant!
Ich sing es wirklich ungern!
Nun wird es aber Zeit ...

FOLGE 11: *MÄNNER!*

<u>1</u>  **Ordnen Sie zu.**

der Wagen / das Auto ● die Tankstelle ● die Werkstatt ● der Führerschein

**A**  *der Wagen / das Auto*

**B**  ......................

**C**  ......................

**D**  ......................

<u>2</u>  **Sehen Sie die Fotos an. Was meinen Sie? Sprechen Sie.**

a  Foto 1: Was will Kurt machen?
b  Foto 2: Was ist mit Susanne los?
c  Fotos 3–5: Wohin fahren Susanne und Maria wohl?
d  Fotos 6–8: Was passiert an der Tankstelle?

Maria und Susanne haben kein Benzin mehr. Sie müssen tanken.

Aber an der Tankstelle …

CD 2 02-09

<u>3</u>  **Sehen Sie die Fotos an und hören Sie.**

## 4 Warum ist Susanne sauer auf Kurt? Was ist richtig? Kreuzen Sie an.

a Er geht ohne Handy joggen. Susanne hat Angst, dass sie vielleicht ein Problem mit dem Baby hat. ☐

b Er bringt den Wagen nie in die Werkstatt. Deshalb ist der Wagen jetzt kaputt. ☐

c Susanne ist für ein neues Auto. Aber Kurt ist dagegen. ☐

d Er hat nicht getankt. ☐

e Er will ihr keinen Schokoriegel kaufen. ☐

f Er meint, dass Susanne besser auf das Baby aufpassen sollte. ☐

## 5 Erzählen Sie die Geschichte mit Ihren Worten.

Kurt möchte joggen gehen. Susanne möchte, dass … . Aber Kurt …

Plötzlich … . Maria und Susanne fahren …

Auf der Fahrt geht es Susanne wieder besser.

Aber dann stellt Maria fest, dass … . Also fahren Maria und Susanne zur Tankstelle.

Sie tanken und wollen bezahlen. Aber leider … . Kurt ist gerade aus dem Park gekommen und hat …

Er bezahlt.

# Er ist gerade **aus dem Haus** gegangen.

## A1 Welches Foto passt? Ordnen Sie zu.

☐ ● Ist Kurt nicht da?
  ▲ Nein, er ist gerade aus dem Haus gegangen.

☐ ▲ Oje, wo kommst du denn her?
  ▼ Vom Zahnarzt, das sieht man doch.

| ☐→ | | ↓ | |
|---|---|---|---|
| aus | dem Haus | im | Haus |
| vom | Zahnarzt | beim | Zahnarzt |

CD 2 | 10

## A2 *Von* oder *aus*? Hören Sie und ergänzen Sie.

**a** Hier kommt jemand ....*vom Arzt*.................... .  **d** Hier kommt jemand ........................................ .

**b** Hier kommen Leute ............................... .  **e** Hier steigt jemand .................................... .

**c** Hier kommt jemand ............................ .  **f** Hier nimmt jemand die Post ...................... .

## A3 *Woher*, *wo*, *wohin*? Sehen Sie das Bild an und beschreiben Sie.

■ Schau, hier fährt eine Frau aus der Garage.
● Ja, und hier – die Schule ist aus. Die Kinder ...

Wiederholung

| ☐→ | ↓ | →☐ |
|---|---|---|
| aus der Schule | in der Schule | in die / zur Schule |
| vom Zahnarzt | beim Zahnarzt | zum Zahnarzt |

## A4 Spiel: Pantomime

Spielen Sie in zwei Gruppen.
Gruppe A schreibt
Anweisungen für Gruppe B
und umgekehrt.
Jede/r spielt ihrer/seiner
Gruppe eine Anweisung
pantomimisch vor.
Die anderen raten.

Du kommst vom Friseur.

Nein, du kommst von einer Party!

Woher?
Du kommst von einem Fest.

Wohin?
Du gehst zum Arzt.

**B1**   **Ordnen Sie zu.**

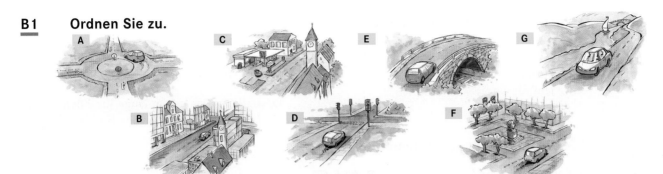

A   C   E   G

B   D   F

*B* Wir müssen direkt durch das Zentrum fahren.

☐ Da kommen wir übrigens auch am Mozartplatz vorbei.

☐ Du fährst bis zur nächsten Kreuzung. Da musst du links abbiegen.

☐ Und jetzt geradeaus über die Brücke da.

☐ Nach der Brücke fahren wir das Flussufer entlang.

☐ Die nächste Tankstelle? Bei uns zu Hause, gegenüber der Kirche.

☐ Wir müssen fast ganz um den Kreisverkehr herum und dann abbiegen.

**um** den Kreisverkehr (herum)
**durch** das Zentrum
**über** die Brücke
das Flussufer **entlang**

**bis zur** Kreuzung
am Mozartplatz **vorbei**
**gegenüber** der Kirche

**B2**   **Hören Sie und markieren Sie den Weg im Stadtplan.**

11

**B3**   **Schreiben Sie eine Antwort auf die E-Mail.**

Hallo Roland,
danke für die Einladung zu Deiner
Geburtstagsfeier. Ich komme gern.
Schreibst Du mir bitte noch, wie
ich am besten zu Dir komme?
Viele Grüße von Matthias

nach Neustadt fahren ➜ in Neustadt um den
Kreisverkehr herumfahren und die dritte Ausfahrt
nehmen ➜ geradeaus fahren ➜ an der Kreuzung
rechts abbiegen ➜ durch das Ortszentrum fahren ➜
über eine Brücke kommen ➜ an der Ecke rechts in
die Bahnhofstraße abbiegen ➜ Hausnummer 9 ist
gegenüber dem Hauptbahnhof

*Lieber Matthias,*
*schön, dass Du kommst. Pass auf, Du fährst zuerst einfach nach Neustadt.*
*Gleich in Neustadt musst Du . . .*

**B4**   **Erklären Sie Ihrer Partnerin / Ihrem Partner den Weg
vom Kursort zu Ihnen nach Hause.**

Ich wohne nicht weit von der Sprachschule. Du nimmst
den Bus Nummer 610 und fährst bis zur Haltestelle „Saarstraße".

**Schon fertig?**
Beschreiben Sie einen Weg
wie in B2. Ihre Partnerin /
Ihr Partner sagt, wo Sie
jetzt sind.

**11**  **C**

**Deshalb** müssen wir ihn ja dauernd in die Werkstatt bringen.

**C1** **Ordnen Sie zu. Hören Sie dann und vergleichen Sie.**

**a** Der Wagen ist zu alt.
**b** Ständig ist er kaputt.
**c** Aber Kurt sagt, wir haben kein Geld für ein neues Auto.

Deshalb müssen wir weiter mit diesem hier zurechtkommen.
Deshalb müssen wir ihn ja dauernd in die Werkstatt bringen.
Ich bin deshalb schon lange für einen neuen.

> **Deshalb** bin ich schon lange für einen neuen.
> Ich bin **deshalb** schon lange für einen neuen.

**C2** **Wie heißen die Dinge? Ordnen Sie zu.**

☐ Reifen
☐ Vorderlicht
☐ Werkzeug

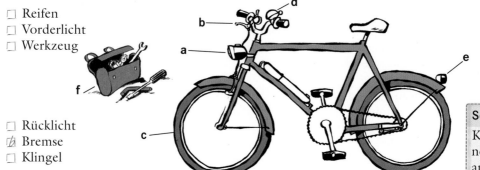

☐ Rücklicht
☑ Bremse
☐ Klingel

> **Schon fertig?**
> Kennen Sie noch mehr Dinge am Fahrrad?

**C3** **Sicherheits-Check**

**a** Lesen Sie und markieren Sie: Was sollten Sie an Ihrem Fahrrad prüfen? Was sollten Sie beachten?

### Sicherheits-Check für Ihr Fahrrad

**1** Im Straßenverkehr muss man oft plötzlich bremsen. Deshalb sollten die Bremsen immer funktionieren.

**2** Der Bremsweg wird länger, wenn die Reifen zu alt sind – vor allem auf nassen und glatten Straßen. Prüfen Sie deshalb regelmäßig die Reifen und wechseln Sie alte Reifen.

**3** Radfahrer sind nachts schlecht erkennbar. Deshalb ist es sehr wichtig, dass Vorderlicht und Rücklicht funktionieren.

**4** Die Klingel sollte gut erreichbar sein und natürlich auch funktionieren.
Denn: Sie sollten immer klingeln, wenn Sie andere überholen.

**5** Mit zu wenig Luft in den Reifen können Sie nicht gut fahren. Sie können stürzen! Nehmen Sie deshalb immer eine Luftpumpe mit.

**6** Tragen Sie am besten einen Fahrradhelm. Dieser schützt den Kopf vor Verletzungen bei einem Sturz.

> Sie sind erkenn**bar**. =
> Man **kann** sie erkennen.

**b** Lesen Sie noch einmal. Warum ist das für die Sicherheit im Straßenverkehr wichtig? Ordnen Sie zu.

**1** Die Bremsen müssen funktionieren, weil …      der Helm den Kopf vor Verletzungen schützt.
**2** Man sollte alte Reifen wechseln, weil …      der Bremsweg von alten Reifen sehr lang ist.
**3** Vorder- und Rücklicht sollten funktionieren, weil …    man beim Überholen klingeln sollte.
**4** Die Klingel sollte gut erreichbar sein, weil …      man mit zu wenig Luft nicht gut fahren kann.
**5** Man sollte immer eine Luftpumpe dabeihaben, weil …    man im Straßenverkehr oft plötzlich bremsen muss.
**6** Man sollte einen Helm tragen, weil …      Radfahrer in der Nacht schlecht erkennbar sind.

Die Bremsen müssen funktionieren,
weil man oft plötzlich bremsen muss.
=
Oft muss man plötzlich bremsen.
**Deshalb** müssen die Bremsen funktionieren.

**c** Erklären Sie.

Im Straßenverkehr muss man oft plötzlich bremsen. Deshalb müssen die Bremsen funktionieren.

**C4** **Was ist Rudi passiert? Erzählen Sie die Geschichte.**

Geld sparen wollen ➔ ein günstiges Fahrrad kaufen ● am Sonntag: Das Wetter ist gut ➔ einen Fahrradausflug machen ● ein Hase plötzlich über die Straße laufen ➔ bremsen wollen ● die Bremsen funktionieren nicht ➔ in die Wiese fahren ● vom Fahrrad fallen ➔ sich verletzt haben ● Fahrrad kaputt sein ➔ das Fahrrad nach Hause schieben müssen ● das soll nicht noch einmal passieren ➔ in Zukunft immer einen Sicherheits-Check machen wollen

Rudi wollte Geld sparen, deshalb hat er ein günstiges Fahrrad gekauft. …

**Schon fertig?**
Wie geht die Geschichte weiter? Schreiben Sie.

**C5** **Ist Ihnen schon einmal etwas mit dem Fahrrad oder mit dem Auto passiert? Erzählen Sie.**

Ich hatte mal eine Reifenpanne mit dem Fahrrad. Da bin ich über einen Nagel gefahren …

Und ich wollte mal am Morgen mit dem Auto losfahren. Und da war die Batterie leer.

## D1 Ordnen Sie zu.

Eis • Schnee • Nebel • Sonnenschein • Sturm • Gewitter

## D2 Wie ist das Wetter? Ordnen Sie zu.

gewittrig • ~~stürmisch~~ • regnerisch • eisig • sonnig • windig • wolkig • neblig

**a** *stürmisch* .................. und ...............................

Dresden – Sturm und Eis haben gestern den Verkehr in einigen Teilen Deutschlands lahmgelegt. In der Nacht war die Autobahn A2 zwischen Porta Westfalica und Bad Eilsen komplett gesperrt. Die Autofahrer mussten stundenlang in ihren Wagen warten.

**b** ........................... , ........................... , ........................... und ...........................

Die Aussichten für das Wochenende: Am Samstag kommen von Nordwesten immer mehr Wolken. Gegen Abend gibt es zum Teil kräftige Gewitter und es weht ein böiger Wind. Auch am Sonntag Regenschauer und kühl.

**c** ...........................

Hamburg hat eine neue U-Bahn! Bei strahlendem Sonnenschein hat der Bürgermeister am vergangenen Samstag die neuen roten Wagen eingeweiht. Die Einwohner Hamburgs konnten die neue U-Bahn das ganze Wochenende kostenlos benutzen.

**d** ...........................

Dichter Nebel verhindert Starts und Landungen am Flughafen Köln-Bonn.
Bereits gestern konnten wegen des schlechten Wetters mehr als 20 Maschinen weder starten noch landen. Die Flieger mussten auf den Flughafen Düsseldorf ausweichen.

der Sturm → stürm**isch**
der Regen → regner**isch**
das Eis → eis**ig**
der Nebel → neb**lig**

| Schon fertig? |
|---|
| Kennen Sie noch mehr Wörter mit *-isch* oder *-ig*? |

## D3 Störungen im Straßenverkehr: Was ist hier los? Sprechen Sie.

Baustelle ● Stau ●
Falschfahrer ● Unfall ●
Tiere auf der Fahrbahn ●
gesperrte Straße

> Auf Foto A gibt es
> einen Stau.

> Ja, vielleicht sind Ferien.
> Da ist oft Stau auf den
> Autobahnen.

## D4 Verkehrsnachrichten

Hören Sie und kreuzen Sie an: Richtig oder falsch?

|  |  | richtig | falsch |
|---|---|---|---|
| 1 | Wegen eines Unfalls auf der A81 gibt es einen Stau. | ☐ | ☐ |
| 2 | Tiere sind auf der Straße. Deshalb soll man besonders vorsichtig fahren. | ☐ | ☐ |
| 3 | Wegen einer Baustelle gibt es Stau auf der A3. | ☐ | ☐ |
| 4 | Der Falschfahrer darf nicht überholen. | ☐ | ☐ |
| 5 | In Frankfurt haben alle S-Bahnen Verspätung, weil es so stark schneit. | ☐ | ☐ |

Warum?
Wegen ...

## D5 Wetter und Verkehr: Wo informieren Sie sich und warum gerade dort? Sammeln Sie und erzählen Sie im Kurs.

■ im Radio: Lokalsender ...
■ im Internet: www.adac.de ...
...

> Ich gucke im Fernsehen den Wetterbericht.
> Das reicht. Wenn ich es wirklich genau wissen
> will, klicke ich im Internet auf *wetter.de* und
> gebe meine Stadt in das Suchfeld ein.

> Also, ich fahre viel mit der S-Bahn. Deshalb
> höre ich immer einen Lokalsender. Denn nur
> dort bekomme ich Informationen über die
> öffentlichen Verkehrsmittel.

**E1**    **Lesen Sie die Überschrift und sehen Sie die Fotos an. Worum geht es im Text? Was meinen Sie?**

# Sie sind das Problem Nr. 1:
## *Die anderen*

**Straßenverkehr könnte so schön sein, was? Aber leider sind wir ja meistens nicht allein unterwegs. Da sind auch noch diese schrecklichen anderen Verkehrsteilnehmer. Und die wollen uns immer nur ärgern. Sagen Sie doch mal, wer nervt Sie dabei am meisten?**

Die Radfahrer. Für die gibt's ja
5 überhaupt keine Regeln, oder?
Eine Einbahnstraße? Das kennen die gar nicht. Die fahren
einfach, wie sie wollen. Und
die Fußgänger! Die sind ja
10 schon wütend, wenn du nur mal
fünf Minuten auf dem Bürgersteig parkst. Wo soll ich denn
sonst parken? Es gibt doch fast
keine Parkplätze hier.

15 Mich nerven vor allem die Fußgänger. Die passen nicht auf.
Immer laufen sie einem direkt
vors Rad. Deshalb muss ich
auch dauernd bremsen. Und
20 auch die Autofahrer! Die parken ein und dann machen sie
einfach die Tür auf. Nach hinten gucken sie natürlich nicht.
Für Radfahrer ist das echt su-
25 pergefährlich!

Na, da sind erst mal diese rück-
sichtslosen Autofahrer. Also,
die machen mich richtig krank.
Die parken einfach auf unseren
30 Bürgersteigen! Und die Radler
nerven auch. Die fahren total
schnell durch unsere Fußgängerzone. Stellen Sie sich das
mal vor! Da sind doch Kinder
35 und alte Leute!

**E2**    **Lesen Sie nun den ganzen Text und unterstreichen Sie in zwei Farben: Wer nervt? Und warum? Ergänzen Sie die Tabelle.**

| Wer nervt? | Radfahrer | Fußgänger | Autofahrer |
|---|---|---|---|
| Warum? | *kennen keine Regeln (z.B. Einbahnstraßen)* | *Auto parkt 5 Minuten auf Bürgersteig → gleich wütend* | |

**E3**    **Was nervt Sie am meisten im Straßenverkehr?**

**a**   Sammeln Sie gemeinsam weitere Situationen.

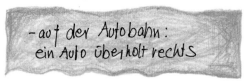

- auf der Autobahn:
ein Auto überholt rechts

**b**   Ihre Meinung?

- Was finden Sie besonders schlimm? Was finden Sie nicht so schlimm?
- Was machen Sie, ehrlich gesagt, auch manchmal?
- Halten Sie sich immer an die Verkehrsregeln?

> Also, wenn kein Auto kommt, dann gehe ich, ehrlich gesagt, schon mal bei Rot über die Straße. Das ist doch nicht so schlimm, oder?

# Grammatik

**1 Dativ: lokale Präpositionen auf die Frage „Woher?"**

| Woher kommt Frau Graf? | *aus* + Dativ | *von* + Dativ |
|---|---|---|
| Sie kommt … | aus dem Supermarkt | vom Arzt |
| | aus dem Haus | von ihrem Enkelkind |
| | aus der Post | von der Augenärztin |

⸺▶ ÜG, 6.03

**2 Lokale Präpositionen**

mit Akkusativ

| maskulin | durch den Park | den Park entlang | über den Platz | um den Kreisverkehr (herum) |
|---|---|---|---|---|
| neutral | durch das Zentrum | das Ufer entlang | über das Gleis | um das Zentrum (herum) |
| feminin | durch die Stadt | die Straße entlang | über die Brücke | um die Stadt (herum) |
| Plural | durch die Straßen | die Gleise entlang | über die Gleise | um die Häuser (herum) |

mit Dativ

| maskulin | bis zum | Kreisverkehr | am | Mozartplatz | vorbei | gegenüber dem | Bahnhof |
|---|---|---|---|---|---|---|---|
| neutral | bis zum | Kaufhaus | am | Kino | vorbei | gegenüber dem | Kino |
| feminin | bis zur | Kreuzung | an der | Tankstelle | vorbei | gegenüber der | Kirche |
| Plural | bis zu den | Gleisen | an den | Häusern | vorbei | gegenüber den | Garagen |

*auch:* dem Bahnhof gegenüber

⸺▶ ÜG, 6.03

**3 Konjunktion: *deshalb***

| | | Position 2 | | |
|---|---|---|---|---|
| Oft muss man plötzlich bremsen. | **Deshalb** | müssen | die Bremsen | funktionieren. |
| | Die Bremsen | müssen | **deshalb** | funktionieren. |

⸺▶ ÜG, 10.05

**4 Wortbildung**

| Nomen | ➜ Adjektiv | | Verb | ➜ Adjektiv |
|---|---|---|---|---|
| der Sturm | stürmisch | | erkennen | erkennbar |
| das Eis | eisig | | | |

⸺▶ ÜG, 11.02

## Wichtige Wendungen

**den Weg beschreiben**

Sie nehmen den Bus / die U-Bahn und fahren bis zur Haltestelle … •
Sie gehen die …straße entlang. • Sie fahren zunächst geradeaus bis … •
Nach 200 Metern sehen Sie … • Da / An der Ecke müssen Sie links/rechts abbiegen. •
Sie kommen auch am …platz vorbei.

**Strategien**

Stellen Sie sich das mal vor! •
Also, ehrlich gesagt, …

Das ist Herrmann Wuttke. Seine Freunde nennen ihn Hermi. Hermi fährt sehr gern Auto. Am liebsten ist er richtig schnell unterwegs. Deshalb hat er auch einen supertollen Wagen gekauft, mit 180 PS, mit breiten Reifen, mit einer 1a-Stereoanlage und so weiter. Aber leider, ...

... leider gibt es den Berufsverkehr. Hermi mag den Berufsverkehr nicht. Staus hasst er und Verkehrsregeln sind auch nicht seine Sache. Regeln stören, findet er. Er beachtet sie einfach nicht. Deshalb hat Herrmann Wuttke schon sieben Punkte ...

... in Flensburg. Dort gibt es seit 1958 das deutsche „Verkehrszentralregister". Das ist eine Behörde. Sie sammelt Daten über die Autofahrer in Deutschland. Wenn man bestimmte Verkehrsregeln verletzt, bekommt man Punkte. Wie viele? Das steht im „Bußgeldkatalog". Wenn man 18 Punkte hat, verliert man seinen Führerschein. Will man ihn wiederhaben, muss man einen besonderen medizinisch-psychologischen Test machen.

  **Flensburg**
- hat 85.000 Einwohner.
- ist die nördlichste deutsche Hafenstadt.
- ist die drittgrößte Stadt des Bundeslandes Schleswig-Holstein.

**1** **Lesen Sie den Text. Ergänzen Sie.**

Bußgeldkatalog • Führerschein • Verkehrsregeln • Straßenverkehrsordnung

Wenn man bestimmte ........................................................ nicht beachtet, dann bekommt man

Punkte in Flensburg. Wie viele Punkte? Das steht im ........................................................ .

Wenn man 18 Punkte in Flensburg hat, dann verliert man seinen ........................................................ .

Die deutschen Verkehrsregeln stehen in der ........................................................ .

Sie wollen Ihren Führerschein nicht verlieren. Machen Sie doch einen kleinen Test. Hermi macht sicher auch mit, oder? Na klar!

**Sie sind auf der Autobahn. Sie möchten gern überholen, aber der Fahrer vor Ihnen bleibt auf der linken Fahrbahn. Was machen Sie?**

☐ a „Ich gebe Gas und fahre rechts an ihm vorbei."
☐ b „Ich warte, bis ich endlich links überholen kann."
☐ c „Ich fahre bis auf 10 Meter an ihn ran. Dann merkt er, dass er mich vorbeilassen muss."

Ich wähle a, e, i und j.

Na, wie viele Punkte haben Sie jetzt in Flensburg? Und Hermi? Sieben Punkte hatte er ja schon. Was ist mit seinem Führerschein? Sehen Sie nach.

**Die Autobahn ist endlich frei. Aber da ist leider dieses 120 km-Schild. Was machen Sie?**

☐ d „Ach was, ich will wissen, wie schnell mein Auto ist. Hey, 240 km/h!"
☐ e „Naja, 150 km/h kann man hier schon fahren."
☐ f „Ich fahre nicht schneller als 120 km/h."

**Sie tanken und merken, dass Sie Durst haben. In der Tankstelle gibt es auch kühles Bier.**

☐ g „Ich trinke ein kleines Bier und fahre dann weiter."
☐ h „Bier trinke ich lieber zu Hause. Hier nehme ich eine Cola."
☐ i „Nur eins? Ich trinke vier Bier und fahre dann weiter."

**Sie fahren wieder. Im Autoradio hören Sie eine Quizsendung. Man kann 100 Euro gewinnen, wenn man sofort anruft. Was machen Sie?**

☐ j „Ich hole das Handy aus der Tasche und rufe sofort an."
☐ k „Ich suche einen Parkplatz und rufe dann an."
☐ l „Anrufen? Nein danke, keine Lust."

**Punkte im Bußgeldkatalog** | Ich | Hermi

| | | | Summe der Punkte |
|---|---|---|---|
| a | 3 Punkte (rechts überholt außerhalb einer Ortschaft) | | |
| b | 0 Punkte | | |
| c | 4 Punkte (Abstand zum Vordermann weniger als 2/10 des halben Tachowerts) | | |
| d | 4 Punkte (mehr als 70 km/h zu schnell gefahren) | | |
| e | 3 Punkte (26 bis 30 Km/h zu schnell gefahren) | | |
| f | 0 Punkte | | |
| g | 0 Punkte | | |
| h | 0 Punkte | | |
| i | 4 Punkte (gefahren mit mehr als 0,5 Promille Alkohol im Blut) | | |
| j | 1 Punkt (Handy beim Autofahren in der Hand gehabt) | | |
| k | 0 Punkte | | |
| l | 0 Punkte | | |

**2 Machen Sie nun den Test.**
Wie viele Punkte in Flensburg haben Sie? Wie viele Punkte hat Hermi jetzt?

**3 Kennen Sie auch einen Fahrer oder eine Fahrerin wie Hermi? Was möchten Sie ihm gern sagen?**

Mein Nachbar fährt in unserer Straße immer zu schnell. Das finde ich unmöglich, weil dort Kinder spielen.

FOLGE 12: *REISEPLÄNE*

**1**  **Sehen Sie Foto 1 an. Wer sagt was? Was meinen Sie? Kreuzen Sie an.**

|  | | Kurt | Simon | Larissa |
|---|---|---|---|---|
| **a** | Wir fahren an den Atlantik. Da gibt es tolle Wellen. Da kann man surfen. | | | |
| **b** | Nein. Wir fahren nach Ungarn. Ich will reiten. | | | |
| **c** | Wir bleiben zu Hause. | | | |

CD 2 14-21

**2**  **Sehen Sie die Fotos an und hören Sie.**

**3**  **Was ist richtig? Ergänzen Sie.**

Simon und Larissa streiten: Larissa möchte in den Ferien nach Ungarn fahren und dort

............................... (reiten ● surfen). Simon möchte lieber ............................... (Skateboard fahren ● surfen).

Kurt und Susanne wollen zu Hause bleiben, weil im Sommer das Baby da ist und sie dann nicht

verreisen können. Larissa und Simon möchten allein ........................................ (wegfahren ● zu Hause
bleiben), aber das erlauben die Eltern nicht. Also will Maria mitfahren. Die beiden Kinder holen
........................................ (Formulare ● Kataloge) aus dem Reisebüro und planen teure Reisen. Das geht
natürlich auch nicht. Kurt holt sein altes Zelt und baut es auf. Er ist der Meinung, dass Larissa,
Simon und Maria Urlaub mit dem Zelt machen können. Da hat Maria eine gute Idee: Die drei
fahren zusammen mit dem Zelt an die Nordsee. Das ist nicht ........................................ (teuer ● billig).
Dort kann Larissa reiten, Simon surfen und Maria kann ........................................
(ein Musikfestival ● einen Kochkurs) besuchen.

<u>4</u>    **Träumen Sie: Wo würden Sie gern Urlaub machen? Was würden Sie gern sehen?**

> Ich möchte unbedingt New York sehen! Ich habe
> gehört, dass diese Stadt sehr interessant ist.

> Und ich würde gern mal nach Afrika fahren.
> Ich möchte so gern mal wilde Tiere beobachten.

CD2 22

**A1** Hören Sie noch einmal und variieren Sie.

> Wir fahren an den Atlantik!

> Nein, wir fahren nach Ungarn.

*Varianten:*
auf eine Insel – in die Schweiz •
an die Küste – in den Schwarzwald •
in den Süden – in den Norden

**Wohin?**

| | |
|---|---|
| an | den Atlantik / den Strand / den See / die Küste ... |
| ans | Meer |
| auf | eine Insel |
| aufs | Land |
| in | den Schwarzwald / die Wüste / die Berge ... den Süden / Norden / Osten / Westen |

CD2 23

**A2** Wohin fährt Julius zuerst? Und danach?

**a** Hören Sie und ordnen Sie.

☐ das Meer   ⬚ 1 der Dschungel   ☐ das Land   ☐ die Berge

**b** Sprechen Sie.

> Zuerst fährt Julius in den Dschungel.
> Dann fährt er ... Danach ...

☐ der Bodensee   ☐ die Wüste

**A3** Fragen Sie und antworten Sie.

● Wir könnten im Sommer doch in die Berge fahren!
▲ In die Berge? Nein!
● Warum denn nicht?
▲ Ach, in den Bergen ist es zu langweilig.
● Schade! Aber wir könnten ...

Meer • Wien • Alpen • Süden • Berge •
eine Insel • die Türkei • Ungarn • ...

heiß • langweilig • kalt • windig • laut •
anstrengend • gefährlich • kühl • trocken • ...

**Wo?**

| | |
|---|---|
| **am** | Meer |
| **auf** | einer Insel |
| in | den Bergen |
| im | Süden |

Wiederholung

| | |
|---|---|
| in | Wien |
| | Ungarn |
| in | der Türkei |

**Wohin?**

| | |
|---|---|
| **ans** | Meer |
| **auf** | eine Insel |
| in | die Berge |
| in | den Süden |

Wiederholung

| | |
|---|---|
| **nach** | Wien |
| | Ungarn |
| in | die Türkei |

> **Schon fertig?**
> Geben Sie Ihrer Partnerin / Ihrem Partner Urlaubstipps.

 **A4** Ratespiel: Wo sind Sie?

Was ist in Ihrem Koffer? Notieren Sie drei Dinge. Lesen Sie vor. Die anderen raten.

Sonnenbrille
Flasche Wasser
Sonnenhut

■ Ich glaube, du bist am Meer.
▲ Nein.
▼ Dann bist du wahrscheinlich in der Wüste.
■ Genau!

24

**B1** **Hören Sie noch einmal und ergänzen Sie.**

### Hotel Paradiso

Schön.*e*....... Apartments mit groß.......... Balkon.

Jedes Zimmer mit frei.......... Blick aufs Meer.

Ruhig.......... Lage, nur 3 Minuten zum Strand.

Surf- und Tauchkurse für Anfänger und

Fortgeschrittene.

der → **großer** Balkon
das → **großes** Zimmer
die → **ruhige** Lage
die → **schöne** Apartments

dem → mit **großem** Balkon
dem → mit **großem** Zimmer
der → in **ruhiger** Lage
den → mit **schönen** Apartments

**B2** **Welche Unterkunft ist in welcher Landschaft/Region? Ordnen Sie zu.**

Schleswig-Holstein (D)

Ramsau am Dachstein (A)

Luzern (CH)

Mecklenburger Seenplatte (D)

**A** ✶✶✶✶✶ **Camping „Stern"**

Wunderschöner Campingplatz in ruhiger
Umgebung. Nur fünf Minuten zum Strand,
idealer Badestrand für Kinder.

Moderne Waschräume ◆ großer Spielplatz ◆
kostenloser Fahrradverleih

**B** **Ferienwohnungen – Natur und Erholung pur!**

Paddeln Sie in unseren Leihbooten von See zu See,
beobachten Sie seltene Vögel und entspannen Sie sich!
Natur pur – ohne lauten Verkehr und stinkende Autos.
Gemütliche 2-Zimmer-Apartments (ca. 45 m²),
Bettwäsche und Handtücher werden gestellt.
Ab 2 Wochen Aufenthalt 10 % Ermäßigung.

**C** **Kleine Pension mit schönem Blick
auf das historische Zentrum**

Alle Zimmer mit Bad oder Dusche/WC
freundlicher Service
Übernachtung mit Frühstück
im Doppelzimmer    ab sFr. 100
im Einzelzimmer    ab sFr. 80

**D** **Ferien auf dem Bauernhof**

Familienfreundlicher, großer Bauernhof mit Kühen,
Schweinen, Hunden und Katzen: Ein Paradies für
Kinder und ihre Eltern! Ruhige Lage und schöner
Panoramablick auf das Dachsteingebirge.
Saubere Zimmer in familiärer Atmosphäre.

den → ohne **lauten** Verkehr

**B3** **Wer interessiert sich für welche Anzeige? Ordnen Sie zu.**

Anzeige

**a** Familie Krämer lebt in der Großstadt. Die kleine Tochter ist sehr tierlieb. ☐
**b** Udo Hai möchte viele Museen ansehen und ins Theater gehen. ☐
**c** Gabi und Hans Bauer lieben Wasser. Sie möchten Urlaub in der Natur machen. ☐
  Gabi war die letzten zehn Jahre am Meer. Dieses Mal möchte sie etwas anderes machen.
**d** Familie Perger sucht eine billige Unterkunft. Die Kinder baden sehr gern. ☐

**B4** **Ergänzen Sie die Anzeigen.**

**a** **Schön**......... **Campingplatz. Nur 3 Euro pro Nacht!**

**b** Suche dringend günstig......... Zelt!

**c** **Für 20 Euro nach London? Preiswert......... Angebote – jetzt!**

**d** Wir suchen für klein......... Pension in zentral......... Lage
zwei freundlich......... Mitarbeiter.

der Campingplatz
das Zelt
die Pension
die Lage

**Schon fertig?**

Schreiben Sie Anzeigen
für „Ihre" Pension,
„Ihren" Campingplatz ...

 **B5** **Welche Unterkünfte aus B2 würden Sie wählen? Warum?**

CD 2 25

**C1**    **Im Reisebüro: Hören Sie den ersten Teil des Gesprächs.**

**a** Zeichnen Sie Hannas Reiseroute ein.

**b** Hören Sie noch einmal und ergänzen Sie die Tabelle.

| | von | nach | mit |
|---|---|---|---|
| 1 | *Düsseldorf* | *Leipzig* | *dem Flugzeug* |
| 2 | | | |
| 3 | | *Helgoland* | |
| 4 | | | |
| 5 | | | |

CD 2 26

**C2**    **Hören Sie weiter. Kreuzen Sie an: Richtig oder falsch?**

                                                                richtig  falsch

**a** Hanna bucht einen Flug für 69 Euro nach Leipzig. ☐ ☐

**b** Sie hat in Hamburg über vier Stunden Aufenthalt. ☐ ☐

**c** Sie sollte schon jetzt einen Platz nach Bremerhaven reservieren, ☐ ☐
denn von September an fahren die Schiffe nicht mehr täglich.

> über vier Stunden  = mehr als vier Stunden
> von  September an = ab September

**C3**    **Rollenspiel: Lesen Sie die Anzeigen und buchen Sie eine Reise im Reisebüro.**

**Bus Müller – Ihr Spezialist für Busreisen**
Viele Sonderangebote, zum Beispiel ...

| Berlin – Hamburg | **ab 29 Euro** |
|---|---|
| Wien – Prag | **ab 39 Euro** |
| Zürich – Kiel | **ab 49 Euro** |

Fragen Sie in Ihrem Reisebüro.

*Billigflüge weltweit!*
**Nach London für 34 Euro!**
**Oder nach Warschau für 56 Euro?**

**Täglich neue Angebote**
| Düsseldorf – Istanbul | **ab 95 Euro** |
|---|---|
| Frankfurt – Bangkok | **ab 295 Euro** |

**Im Reisebüro – Kunde/Kundin**
Sie möchten Ihre Verwandten in ... besuchen.
Informieren Sie sich in einem Reisebüro und
buchen Sie eine Busfahrt / einen Flug.

**Im Reisebüro – Angestellter/Angestellte**
Geben Sie Auskunft. Die günstigen Busreisen/
Flüge sind leider schon ausgebucht.
Aber es gibt noch andere Angebote.

*Ich möchte die Reise nach ... buchen.*
*Für ... Personen.*
*Von ... bis ...*

*Was kostet die Reise?*
*Wie lange dauert denn die Fahrt / der Flug?*

*Für wie viele Personen? Wann?*
*Es ist leider kein Platz mehr frei.*
*Aber wir haben noch andere Angebote:*
   *Mit dem Bus/Flugzeug/... für ... Euro nach ...*
*Das macht ... Euro.*
*Sie können am ... um ... abfahren/abfliegen*
   *und sind dann um ... am Ziel.*

**C4**    **Wie sind Sie in Ihr Heimatland / in den Urlaub gereist? Erzählen Sie.**

**a** Mit welchem Verkehrsmittel sind Sie gereist?    **c** Wie lange hat die Reise gedauert?

**b** Durch welche Länder/Städte sind Sie gefahren?    **d** Was für Gepäck haben Sie mitgenommen?

**D1** **Lesen Sie die Postkarten: Welcher Text gehört zu welcher Postkarte? Ordnen Sie zu.**

**A**
Lieber Lukas,
schön, dass Du mich bald besuchst! Was möchtest Du
denn gern machen? Wir können zum Beispiel wandern.
Hier gibt es tolle Berge. Oder möchtest Du lieber ins
Fußballstadion gehen? Die Stadt besichtigen wir besser
nicht. Es sind nämlich zurzeit so viele Touristen hier.
Ich schicke Dir das „Goldene Dacherl" lieber als Postkarte.
Viele Grüße, Dein Thorsten

**B**
Liebe Claudia,
ich möchte Dir so gern Frankfurt zeigen:
den „Römer" (das ist unser Rathaus), die alte Oper
und das Museumsufer. Und natürlich auch die
Kneipen. Dort kannst Du Apfelwein probieren, Grüne
Soße und andere Spezialitäten. Also: Wann besuchst
Du mich endlich? Ich warte auf Deine Antwort.

Agnes

**C**
Liebe Erika, lieber Klaus,
juhu, wir sind endlich fertig mit unserem Umzug! Unser
kleines Haus liegt außerhalb von Heide. Am Deich kann
man prima Rad fahren und spazieren gehen. Das ist doch
genau das Richtige für Euch, oder? Ihr seid herzlich
eingeladen.
Liebe Grüße von Bärbel und Rodolfo
P. S.: Wenn Ihr wollt, können wir auch mit dem Schiff
nach Helgoland fahren.

**D2** **Lesen Sie noch einmal. Wer macht welche Vorschläge? Ergänzen Sie.**

| Vorschläge | Sport | Kultur | Essen/Trinken | Ausflüge |
|---|---|---|---|---|
| Karte A | Wandern, ... | —— | —— | |
| Karte B | | | | |
| Karte C | | | | |

**D3** **Schreiben Sie selbst eine Postkarte.**

- Laden Sie eine Freundin /
  einen Freund zu sich nach Hause ein.
- Fragen Sie: Wann kann die Freundin /
  der Freund kommen?
- Machen Sie zwei bis drei Vorschläge
  (Sport, Kultur, Essen, Ausflüge):
  Was könnten Sie gemeinsam machen?
- Sagen Sie, dass Sie sich auf den
  Besuch freuen.

Vergessen Sie nicht Anrede und Gruß!

```
Liebe/Lieber ...
Wann ...  Komm doch mal nach ...
Wir könnten ... gehen/fahren/besichtigen/
anschauen.  Ich möchte Dir so gern ... zeigen.
Du musst unbedingt ... sehen. Oder wir ...
Hast du Lust auf ...?  Möchtest Du vielleicht ...?
Du kannst ... probieren. Das schmeckt ...
Bis bald!  Ich freue mich auf Dich!
Viele/Liebe/Herzliche Grüße
```

**E1** **Was fällt Ihnen zu diesen Wörtern ein? Sammeln Sie.**

*leere Strände*

— Erholung — — Abenteuer — — Kultur — — Sport & Spaß —

*Wärme* *giftige Tiere* *Museen*

**E2** **Welcher Urlaubstyp sind Sie? Lesen Sie die Anzeigen und sprechen Sie.**

Bilden Sie vier Gruppen: Die „Abenteuergruppe", die „Kulturgruppe",
die „Erholungsgruppe" und die „Sportgruppe".

**Abenteuer!**
Lust auf Risiko? Wilde Tiere,
Dschungel oder einsame Wüste?
Verrückter Abenteurer sucht
abenteuerlustige Reisebegleiter.

**Kultur!**
Paris, London, Rom?
Suche intelligente und
neugierige Mitreisende!

**Erholung!**
Nur kein Stress!
Genießerin sucht unkomplizierte
Urlaubsbegleitung.

**Sport und Spaß!**
Sport, Spaß, gute Laune ...
Blonder, immer gut gelaunter Sunnyboy
sucht fröhliche Sportsfreunde.

> Im Urlaub brauche ich kein Abenteuer. Das finde ich schrecklich!
> Ich will nur faulenzen und mich erholen. Ich gehe in die Erholungsgruppe.

**E3** **Planen Sie gemeinsam in Ihrer Gruppe eine Traumreise. Einigen Sie sich.**

Wohin? → Wann? → Wie lange? → Womit? → Wo übernachten? → Was mitnehmen? → Was machen?

● Wir könnten in die Sahara fahren.
▲ Oh nein, darauf habe ich keine Lust. Das ist mir viel zu heiß.
● Dann fahren wir auf eine einsame Insel.
▲ Einverstanden. Das ist eine gute Idee. Dort können wir ...

*Wollen wir ...?*
*Lass uns doch ...*
*Ich habe da einen Vorschlag / eine Idee.*

☺
*Ja, gut, machen wir es so.*
*Super. Das ist eine gute Idee.*
*Ich bin dafür.*

☹
*Ach nein, darauf habe ich keine Lust.*
*Das ist aber keine gute Idee.*
*Also, ich weiß nicht.*
*Ich bin dagegen.*

**E4** **Machen Sie in Ihrer Gruppe ein Plakat und erzählen Sie den anderen Gruppen**
**von Ihrer Traumreise.**

*Die Abenteurer*
*Wir verreisen ...*
*wohin? wann?  wie lange?*
*Alaska dieses Jahr sechs Monate*

> Wir fahren dieses Jahr nach Alaska
> und bleiben dort sechs Monate.
> Wir fahren ...

## Grammatik

**1  Lokale Präpositionen**

|  | Wo? – Dativ | Wohin? – Akkusativ |
|---|---|---|
| **an** | am Atlantik | an den Atlantik |
|  | am Meer | ans Meer |
|  | an der Küste | an die Küste |
| **auf** | auf dem Land | aufs Land |
|  | auf der Insel | auf die Insel |
| **in** | im Schwarzwald | in den Schwarzwald |
|  | im Gebirge | ins Gebirge |
|  | in den Bergen | in die Berge |

┈┈▶ ÜG, 6.02

**2  Adjektivdeklination: ohne Artikel**

|  | Nominativ | | Akkusativ | | Dativ | |
|---|---|---|---|---|---|---|
| maskulin | **schöner** | Blick | **schönen** | Blick | **schönem** | Blick |
| neutral | **schönes** | Zimmer | **schönes** | Zimmer | **schönem** | Zimmer |
| feminin | **schöne** | Lage | **schöne** | Lage | **schöner** | Lage |
| Plural | **schöne** | Räume | **schöne** | Räume | **schönen** | Räumen |

┈┈▶ ÜG, 4.03

**3  Temporale Präpositionen**

*von ... an* + Dativ                              *über* + Akkusativ

Von September **an** fährt das Schiff ...    Sie hat **über** vier Stunden Aufenthalt.

┈┈▶ ÜG, 6.01

**4  Präposition *ohne* + Akkusativ**

Ich fahre **ohne** einen Freund      weg.
                    eine Freundin

┈┈▶ ÜG, 6.04

## Wichtige Wendungen

**im Reisebüro: einen Flug buchen, ...**

Ich möchte eine Reise / eine Busfahrt / einen Flug für ... Personen buchen.
Wie lange dauert denn die Busfahrt / der Flug?
Wie oft fahren denn die Schiffe? Täglich?

**Vorschläge: Wollen wir ...?**

| Wollen wir ...? | Ja, gut, machen wir es so. | Ach nein, darauf habe ich keine Lust. |
|---|---|---|
| Lass uns doch ... | Super. Das ist eine gute Idee. | Das ist aber keine gute Idee. |
| Ich habe da einen | Ich bin dafür. | Ich bin dagegen. |
| Vorschlag / eine Idee. |  | Also, ich weiß nicht, ... |

**schriftliche Einladung: Du bist herzlich eingeladen.**

Liebe/Lieber ...
Wann ...? • Komm doch mal ... • Wir könnten ... gehen / fahren / besichtigen / anschauen. •
Ich möchte Dir so gern ... zeigen. • Du musst unbedingt ... sehen. • Oder wir ... •
Hast Du Lust auf ...? • Möchtest Du vielleicht ...? • Du kannst ... probieren. Das schmeckt ... •
Du bist herzlich eingeladen. • Bis bald! • Ich freue mich auf Dich! • Viele/Liebe/Herzliche Grüße

## 1 Im Ballon unterwegs

**a** Lesen Sie zuerst das Interview rechts.

**b** Lesen Sie dann den Text. Es gibt 10 Fehler. Korrigieren Sie mit Ihrer Partnerin / Ihrem Partner.

*deutsche*

Jürgen Fels arbeitet seit 1988 als Pilot für eine ~~bayeri-sche~~ Fluggesellschaft. Vor einigen Jahren hat er eine Firma gegründet und bietet auch in seiner Freizeit Schifffahrten an. Bis zu zehn Leute nimmt Jürgen Fels in seinem Ballon mit und die Passagiere genießen dann einen wundervollen Blick auf Berge und Seen. So ein Ausflug mit dem Ballon dauert vier bis fünf Stunden. Davon ist man etwa drei Stunden in der Luft. Bei Bal-lonfahrten ist das Wetter wichtig. Man braucht saubere Luft und muss gut sehen können. In der warmen Jahres-hälfte ist vor allem die Mittagszeit gut geeignet. Im Win-ter startet Herr Fels lieber am Morgen oder am Abend. Wenn man bei Herrn Fels mitfahren will, kauft man am besten einen Ballon. Wenn das Wetter an dem Tag schlecht ist, muss man ein neues Ticket kaufen. Denn Spaß ist für Herrn Fels und sein Team am wichtigsten.

Jürgen Fels ist seit 1988 Berufspilot und arbeitet als Kapitän für eine deutsche Fluggesellschaft. Man könnte meinen, dass er mit seiner Boeing 737 schon genug Zeit in der Luft verbringt. Doch seine Liebe zum Fliegen ist so groß, dass er auch nach der Arbeit nicht auf dem Boden bleiben möchte. Seit 1999 bietet er mit einer eigenen
5 Firma und einem kleinen Mitarbeiterteam Ballonflüge im südbayerischen Voralpenland an. Das stimmt doch, Herr Fels?

Nein, nicht Ballonflüge. Es muss Ballonfahrten heißen. Mit einem Ballon fliegt man nicht, man fährt.

Aha! Und wie viele Passagiere können in Ihrem bunten
10 Heißluftballon mitfahren?

Ich nehme bis zu acht Passagiere mit und steige mit ihnen bis in eine Höhe von etwa 500 bis 1500 Meter über dem Boden auf. Von dort hat man einen wunderbaren Rundblick auf die Berge und auf unsere schönen Seen.

15 Wie lange dauert denn so eine Fahrt?

In der Luft sind wir eine bis eineinhalb Stunden. Aber natürlich brauchen wir auch Zeit für die Startvorbereitung und für den Rückweg nach der Landung. Insgesamt sind wir vier bis fünf Stunden unterwegs.

Wann kann man am besten mit dem Ballon aufsteigen?

20 Das kann in jeder Jahreszeit sehr schön sein. Wichtig ist, dass das Wetter mitspielt. Man braucht unbedingt eine gute Sicht und möglichst ruhige Luft. Die gibt es in der warmen Jahreshälfte vor allem am Morgen und am Abend. Im Winterhalbjahr ist es anders, da fahren wir meist in der Mittagszeit.

Wie geht das, wenn ich bei Ihnen mitfahren will?

25 Sie kaufen ein Ticket und vereinbaren einen Termin.

Und wenn an meinem Termin das Wetter schlecht ist?

Dann fahren wir nicht. Wir starten nur bei gutem Wetter, denn die Sicherheit steht bei uns an erster Stelle. Aber keine Sorge: Ihr Ticket bleibt natürlich
30 gültig. Wir machen einfach einen neuen Termin aus.

## 2 Würden Sie gern eine Ballonfahrt machen?

Wenn ja: Wo(hin) würden Sie gern fahren? Was würden Sie gern aus der Luft sehen?
Wenn nein: Warum nicht?

**FOLGE 13: *DIE GEHEIMZAHL***

**1**    **Was für Karten sind das? Ordnen Sie zu.**

☐ EC-Karte    ☐ Telefonkarte    ☐ Kundenkarte    ☐ Krankenversichertenkarte

**2**    **Welche Erklärung passt? Kreuzen Sie an.**

**a**   Das Schreiben von der Bank mit der Geheimzahl muss man gleich *vernichten*.
    ☐ gut verstecken   ☐ kaputt machen

**b**   Die Geheimzahl ist eine *persönliche Identifikationsnummer* (PIN-Code). Das bedeutet:
    ☐ Nur eine Person darf die Zahl kennen.   ☐ Alle kennen diese Zahl.

**c**   Mit der EC-Karte und der Geheimzahl kann man am Geldautomaten Geld *abheben*.
    ☐ holen ☐ ausleihen

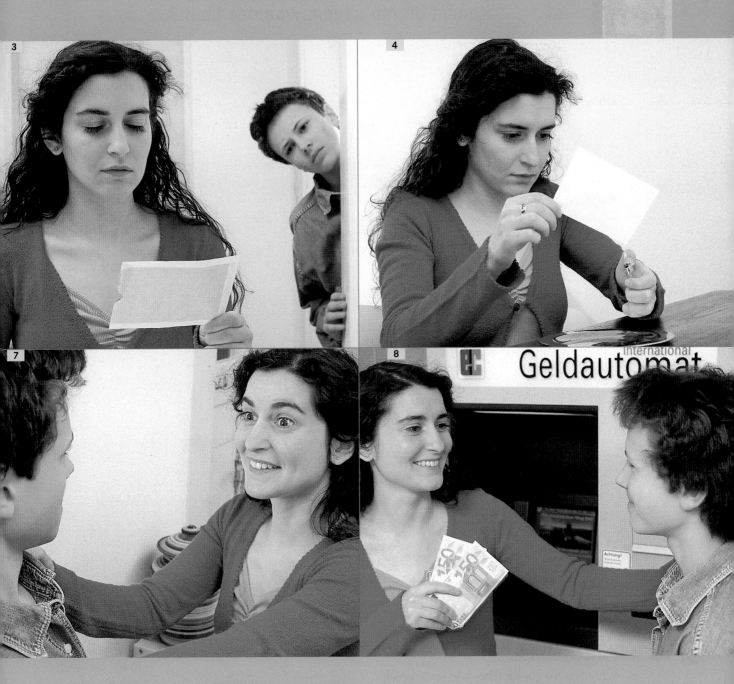

**3**     **Sehen Sie die Fotos an und hören Sie.**

**4**     **Was passiert? Ordnen Sie zu.**

a   Maria bekommt einen Brief von der Bank
mit ihrer Geheimzahl. Sie soll sich die
Geheimzahl merken und den Brief vernichten.

b   Sie will mit ihrer EC-Karte Geld vom
Geldautomaten abheben.

c   Sie fragt den Angestellten am Bankschalter
nach ihrer Geheimzahl.

d   Sie kommt enttäuscht nach Hause.

Dort fällt ihr die Geheimzahl wieder ein –
durch eine Frage von Simon!

Er kann ihr aber nicht helfen. Nur sie
selbst kennt ihre Geheimzahl.

Aber sie hat leider ihre Geheimzahl vergessen.
Ohne Geheimzahl kann man aber kein Geld
abheben.

Deshalb lernt sie die Geheimzahl auswendig.

**5**     **Ist Ihnen so etwas Ähnliches auch schon mal passiert? Erzählen Sie.**

**A1** Hören Sie und ergänzen Sie.

 **1**

 **2**

 **3**

● Kannst du mir kurz helfen? „Einprägen"? Das Wort kenne ich nicht. Kannst du mir sagen, ............... das heißt?

● Simon, weißt du, ............... es einen Geldautomaten gibt?
▲ Ja, gegenüber von der Bäckerei.

■ Beim dritten Mal ist die Karte weg.
● Wirklich? Wissen Sie, ............... ich die Karte dann wiederbekomme?

Was heißt das? → Können Sie mir sagen, | was | das | heißt | ?
Weißt du, |
*auch so:* wo, wie, wann, ...

**A2** Am Bankschalter: Schreiben Sie.

> Guten Tag, was kann ich für Sie tun?

> Ich möchte ein Konto eröffnen. Können Sie mir sagen, ...

**a** *wie man das Formular ausfüllt* ............................... ?
Wie füllt man das Formular aus?

**b** ............................... ?
Wie lange muss man auf die EC-Karte warten?

**c** ............................... ?
Wo kann man Geld abheben?

**d** ............................... ?
Wann haben hier die Banken geöffnet?

**e** ............................... ?
Wann kriege ich die Kontoauszüge?

**A3** Partnersuchspiel

> **Schon fertig?**
> Finden Sie noch mehr Fragen.

**a** Schreiben Sie ein Kärtchen wie im Beispiel.

| Situation: W-Frage (Wer? Wann? Wo? ...): | Antwort: |
|---|---|
| Ich habe meine EC-Karte verloren. Was muss ich denn jetzt machen? | Du musst sofort die Bank informieren. |

**b** Verteilen Sie die Kärtchen im Kurs. Fragen Sie. Beginnen Sie die Fragen mit *Weißt du, ...* oder *Kannst du mir sagen, ...* Suchen Sie eine passende Antwort.

● Ich habe meine EC-Karte verloren. Yue, weißt du, was ich jetzt machen muss?
▲ Nein, tut mir leid. Da musst du weiterfragen.
● Tamara, ich habe meine EC-Karte verloren. Kannst du mir sagen, was ich jetzt machen muss?
■ Ja, das weiß ich. Du musst sofort ...

# Können Sie mal nachsehen,
## **ob** die Zahl in Ihrem Computer ist?

B

13

## B1  Hören Sie und variieren Sie.

● Können Sie mal nachsehen, ob die Zahl in Ihrem Computer ist?

■ Nein, tut mir leid.   ■ Ja, selbstverständlich.

*Varianten:*
Haben Sie meine neue Adresse? ● Ist noch Geld auf meinem Konto?

Ist die Zahl in Ihrem Computer? – Nein.
Haben Sie meine neue Adresse? – Ja.

Können Sie mal nachsehen,  ob  die Zahl in Ihrem Computer ist ?
ob  Sie meine neue Adresse **haben**?

## B2  Welche Erklärung passt? Ordnen Sie zu.

**a** bar bezahlen

**b** in Raten zahlen

**c** Geld überweisen

**d** die Bankverbindung, -en

**e** die Zinsen

Man zahlt nicht direkt, sondern vom eigenen Konto auf ein anderes.

Man bezahlt sie, wenn man sich Geld ausleiht. Oder man bekommt
sie, wenn man Geld spart.

Man bezahlt mit Geldscheinen und/oder Münzen.

Man bezahlt nicht auf einmal, sondern z.B. monatlich einen
bestimmten Betrag.

Das sind die Kontonummer und die Nummer der Bank,
die Bankleitzahl.

## B3  Was fragen die Leute? Ergänzen Sie. Hören Sie dann und vergleichen Sie.

Akzeptieren Sie auch Kreditkarten? ● Kann ich in Raten zahlen? ● Kann ich das Geld überweisen?

**1**

▲ Das ist schon sehr viel Geld. Das kann ich nicht auf einmal bezahlen.
Weißt du, ...................................................................................................?

● Keine Ahnung. Frag doch mal den Verkäufer. Aber pass auf!
Da musst du ganz schön Zinsen zahlen.

**2**

■ Ich wollte fragen, ................................................................................ .

◆ Nein, tut mir leid, wir nehmen hier keine Karten, hier können Sie
nur bar bezahlen.

**3**

▼ Du, ich möchte etwas im Internet bestellen, ich habe aber keine
Kreditkarte. Weißt du, .......................................................................... ?

● Das ist sehr unterschiedlich. Wenn ja, dann fragen sie dich nach
deiner Bankverbindung.

## B4  Schreiben Sie fünf Fragen. Fragen Sie dann Ihre Partnerin / Ihren Partner.
## Beginnen Sie Ihre Fragen mit: *Ich wollte dich fragen, ...* oder *Ich würde gern wissen, ...*

*Hast du ein eigenes Konto?*
*Wie viel Taschengeld bekommt dein Sohn?*

● Adriano, ich wollte dich fragen,
ob du ein eigenes Konto hast.
▲ Ja. Schon seit drei Monaten.

**C1** **Hören Sie und variieren Sie.**

▲ Letzten Monat ist mir das selbst passiert.
● Und dann?
▲ Ich musste mir eine neue Karte ausstellen lassen.

*Varianten:*
mir das Geld am Schalter auszahlen lassen ●
mir eine neue Geheimnummer zuschicken lassen

letzten Monat
*auch so:* diesen/jeden/nächsten Monat

**C2** **Der Kunde ist König: Was lässt er alles machen? Schreiben Sie.**

sich einen Anzug nähen ● seine Einkäufe tragen ● sein Auto waschen ●
das Essen servieren ● sich die Haare schneiden

Er lässt sich das Essen servieren.

du        lässt
er/es/sie lässt

A

B

C

D

E

*Er lässt sich das Essen servieren.*

..............................................

**Schon fertig?**
Was lässt
„der Kunde König"
noch alles machen?
Schreiben Sie.

**C3** **Dienstleistungen: Was machen Sie selbst? Was lassen Sie machen? Fragen und antworten Sie im Kurs.**

Fahrrad reparieren ● Reifen am Auto wechseln ● Öl kontrollieren und wechseln ●
Wohnung renovieren ● Kleider ändern ● Waschmaschine installieren ● Herd anschließen ● …

▲ Reparierst du dein Fahrrad selbst oder lässt du es reparieren?
● Ich muss es immer reparieren lassen. Ich kenne mich überhaupt nicht aus.
■ Ich lasse es nur selten reparieren. Kleine Sachen mache ich selbst.

**D1**  **Am Bankschalter: Hören Sie und kreuzen Sie an.**

| Text 1 | Girokonto | Sparkonto |
|---|---|---|
| **a** Man kann Geld einzahlen, abheben und überweisen. | x | |
| **b** Man kann kein Geld überweisen. | | |
| **c** Man spart Geld und bekommt Zinsen. | | |
| **d** Die Kontoauszüge werden auf Wunsch jeden Monat kostenlos zugeschickt. | | |

| Text 2 | EC-Karte | Kreditkarte |
|---|---|---|
| **e** Sie ist weltweit gültig. | | |
| **f** Sie gilt nur in Deutschland und Europa. | | |
| **g** Der Kunde zahlt eine jährliche Gebühr. | | |

**D2**  **Am Geldautomaten Geld abheben: Ordnen Sie zu.**

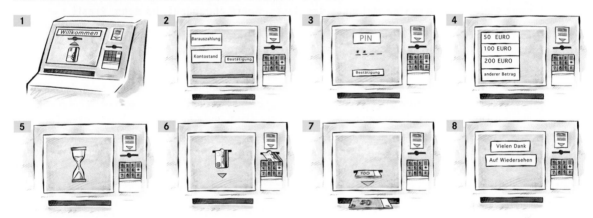

- ☑ Drücken Sie auf „Barauszahlung" und dann die Taste „Bestätigung".
- ☐ Wählen Sie den gewünschten Geldbetrag aus.
- ☐ Stecken Sie Ihre EC-Karte in den Geldautomaten.
- ☐ Sie sind fertig.
- ☐ Nehmen Sie das Geld.
- ☐ Sie müssen warten.
- ☐ Tippen Sie Ihre Geheimzahl ein und drücken Sie die Taste „Bestätigung".
- ☐ Nehmen Sie Ihre Karte wieder.

**D3**  **Was sagen Sie in diesen Situationen?**

> Sie haben Ihre Geheimzahl vergessen.

> Der Geldautomat ist außer Betrieb. Sie wollen aber Geld abheben.

> Der Geldautomat hat Ihnen Ihre EC-Karte nicht wiedergegeben.

**Kunde/Kundin**

*Ich möchte ..., aber ...*
*Ich weiß nicht, was ich jetzt tun soll.*
*Würden Sie mir das bitte erklären?*
*Können Sie mir sagen/zeigen, ...*
*Was soll ich denn jetzt machen?*
*Können Sie mir helfen?*

**E1** Lesen Sie die Texte und ordnen Sie die Bilder zu. Finden Sie dann passende Überschriften.

A    B    C

**1** ☐ ......................................................................

**Heilbronn** – Endlich. In den Kneipen braucht bald niemand mehr Geld – nur noch einen Fingerabdruck. In Heilbronn gibt es den ersten Biergarten Deutschlands, in dem man so bezahlen kann. Wie funktioniert die Idee? Ganz einfach: Beim ersten Mal muss der Gast an der Kasse Namen und Bankverbindung angeben und den Daumen auf ein kleines elektronisches Kissen drücken. Beim nächsten Bezahlen muss man nur noch den Finger auf das Kissen drücken und der Betrag wird vom Konto abgebucht. Na dann, Prost!

**2** ☐ ......................................................................

Der Albtraum: Im Urlaub stellt man fest, dass sämtliche Papiere, Karten und auch das Geld weg sind! Das ist zwar schlimm, aber noch lange kein Grund zur Panik, wenn Sie vor der Reise die folgenden Tipps beachten: Kopieren Sie Ausweispapiere, Geld- und Krankenkassenkarten sowie Fahrkarten bzw. Flugtickets. Nehmen Sie die Kopien getrennt von den Originalen mit. Das gilt auch für Fahrzeugpapiere und Führerschein. Schreiben Sie alle Notfall-Rufnummern (z.B. die Telefonnummer von der Bank) sowie Geheimnummern getrennt von den Dokumenten auf. Gute Reise!

**3** ☐ ......................................................................

**Berlin** – Der Geldautomat gibt nicht nur Geld, sondern er nimmt es auch. Der Kunde kann bei seiner Bank rund um die Uhr Geld einzahlen. Manche Kunden haben aber anscheinend noch Probleme damit. Hans Leinemann von der Bank: „Erstaunlich, was wir alles finden: Joghurtbecher, Butterbrote und Silvesterknaller waren schon drin.“ Die Kunden werfen die Scheine oft auch falsch hinein. Wie es richtig geht, sagen die Bankmitarbeiter während der Öffnungszeiten.

während der Öffnungszeiten

| vor ... | während ... | nach ... |
|---|---|---|
| | 9⁰⁰-15⁰⁰ | |

**E2** Lesen Sie noch einmal die Texte aus E1. Was ist richtig? Kreuzen Sie an.

**Text 1**
**a** Es gibt in Deutschland einen Biergarten, in dem man kein Bargeld mehr braucht. ☐
**b** Der Kunde muss nur einmal einen Fingerabdruck geben, dann nicht mehr. ☐

**Text 2**
**c** Lassen Sie die Kopien der Papiere und Karten zu Hause. ☐
**d** Notieren Sie die Notfall-Rufnummern auf einem Extra-Papier. ☐

**Text 3**
**e** Bei den neuen Geldautomaten kann man auch Geld einzahlen. ☐
**f** Die Kunden werfen nur Scheine hinein. ☐

# Grammatik

## 1 Indirekte Fragen mit Fragepronomen

|  | Fragepronomen |  | Ende |
|---|---|---|---|
| Können Sie mir sagen, | was | das | heißt? |
| Wissen Sie, | wann | die Banken | geöffnet haben? |
|  | wo | man Geld | abheben kann? |

········▶ ÜG, 10.03

## 2 Indirekte Fragen mit Ja-/Nein-Fragen

|  | ob |  | Ende |
|---|---|---|---|
| Können Sie nachsehen, | ob | die Zahl in Ihrem Computer | ist? |
|  | ob | Sie meine neue Adresse | haben? |

········▶ ÜG, 10.03

## 3 Verb: Konjugation

|  | lassen |
|---|---|
| ich | lasse |
| du | lässt |
| er/es/sie | lässt |
| wir | lassen |
| ihr | lasst |
| sie/Sie | lassen |

········▶ ÜG, 5.15

|  | Position 2 |  | Ende |
|---|---|---|---|
| Ich | lasse | mir eine Karte | ausstellen. |
| Ich | muss | mein Fahrrad | reparieren lassen. |

········▶ ÜG, 5.15

## Wichtige Wendungen

**Situation/Verständnis sichern**

| Können Sie mir sagen, | was das heißt? |
|---|---|
| Wissen Sie, | wie man das Formular ausfüllt? |
|  | was ich jetzt machen muss? |
|  | wann die Banken hier geöffnet haben? |
|  | ob ich das Geld überweisen kann? |

Können Sie mal nachsehen, ob Sie meine neue Adresse haben?

**Um Hilfe bitten**

Würden Sie mir das bitte erklären?
Können Sie mir helfen?
Was soll ich denn jetzt machen?

**Unkenntnis äußern**

Ich kenne mich überhaupt nicht aus.

**jemanden warnen**

Pass auf!

**1**  **Sehen Sie die Personen/Szenen A bis E an.**

Suchen Sie zu zweit eine Szene aus und schreiben Sie ein Gespräch zwischen den beiden Personen. Spielen Sie das Gespräch im Kurs vor.

**2**  **Hören Sie nun die Gespräche A bis E. Was ist richtig? Kreuzen Sie an.**

A  Der Passant hat kein Bargeld. ☐
Der Passant möchte dem Räuber das Geld überweisen. ☐

B  Dem Gast hat das Essen nicht geschmeckt. ☐
Der Kellner will die Polizei rufen. ☐

C  Die Frau spendet Geld für die Kinderhilfe. ☐
Das Kind möchte wissen, wie viel Uhr es ist. ☐

| | D | Der Autofahrer hat kein Kleingeld. | ☐ |
| | | Der Autofahrer ist sauer, weil er die Parkgebühr nicht bezahlen kann. | ☐ |
| | E | Die beiden Leute sagen, dass die Geldbörse ihnen gehört. | ☐ |
| | | Die Geldbörse gehört dem Mann. | ☐ |

## 3 Sehen Sie sich Szene F an.

Überlegen Sie sich ein Gespräch und spielen Sie das Gespräch vor.
Entscheiden Sie im Kurs: Welches Gespräch ist am lustigsten oder interessantesten?

FOLGE 14: *BELINDA*

## 1 Sehen Sie die Fotos an.

**a** Foto 1: Worüber streiten Larissa und Simon? Was meinen Sie?

**b** Foto 6: Wer ist die alte Frau? Erkennen Sie sie?

CD 2 45-52 ## 2 Sehen Sie die Fotos an und hören Sie.

## 3 Erzählen Sie die Geschichte. Die Stichworte helfen Ihnen.

1
Susanne → Krankenhaus/Baby

2
Kurt → bei Susanne im Krankenhaus

| | | |
|---|---|---|
| **3** | **4** | **5** |
| Simon und Larissa → | Maria → | Tante Erika → glücklich |
| zu Hause: streiten über den Namen für das Baby | ↗ telefoniert mit … | |
| Krankenhaus: streiten immer noch | → holt … ab | |
| | ↘ Krankenhaus | |

*Susanne liegt im Krankenhaus. Das Baby ist da! Es ist ein Mädchen, es hat aber noch keinen Namen. Kurt …*

**4** **Was sind Ihre Lieblingsnamen? Wie heißen Ihre Kinder? Und warum?**

Ich finde Anna schön. Das erinnert mich an meine Großmutter. Sie hatte den gleichen Namen.

Mein Sohn heißt Kabiru. Das bedeutet „der Große".

# Ich **habe** nicht **gewusst**, dass Babys so klein sind!

**A1**  **Lesen Sie und ergänzen Sie die Tabelle.**

a  ▲ Ich habe nicht gewusst,
dass Babys so klein sind!
● Tja, so klein warst du auch mal.

b  ■ Guck mal, wer da gekommen ist!
Ich bin deine Urgroßtante.

| | | |
|---|---|---|
| wissen | ➜ ich _habe_ | ........................ |
| kommen | ➜ ich ............ | ........................ |

**A2**  **Erinnerungen an die Kindheit: Hören Sie und ordnen Sie die Bilder zu.**

CD2 53

**A3**  **Welche Aussage passt zu welchem Text? Kreuzen Sie an. Hören Sie noch einmal und vergleichen Sie.**

CD2 53

1 2 3

a  Meine Eltern hatten einen kleinen Lebensmittelladen. Ich bin dort aufgewachsen –
zwischen Schokolade und Seife. Jeden Tag kamen dieselben Kunden.
Meine Schwester und ich mussten nach der Schule immer mithelfen.
Mein Vater sagte immer: Wir mussten früher schließlich auch hart arbeiten.    ☐ ☐ ☐

b  Einmal ist etwas Schlimmes passiert: Ich habe auf einer Baustelle gespielt und
bin in ein großes Loch gefallen.    ☐ ☐ ☐

c  Wir durften immer im Stall mithelfen. Zum Frühstück habe ich frisches
Bauernbrot mit Erdbeermarmelade und natürlich frische Kuhmilch bekommen.    ☐ ☐ ☐

d  Dabei habe ich mich schwer am Kopf verletzt. Ich konnte wochenlang
nicht mehr mitspielen.    ☐ ☐ ☐

e  Meine Eltern sind jetzt pensioniert. Ich sollte den Laden übernehmen, aber ich wollte nicht.    ☐ ☐ ☐

f  Leider ist meine Oma schon tot. Sie ist vor einem Jahr nach einer Operation
gestorben. Sie hat viel Schlimmes erlebt: zwei Kriege, schwere Krankheiten und den
Tod ihrer Brüder. Trotzdem war sie immer fröhlich und hatte viel Energie.    ☐ ☐ ☐

**A4** Suchen und markieren Sie die Wörter in A3. Ergänzen Sie in der richtigen Form.

| | | |
|---|---|---|
| verletzen | → ich habe mich | *verletzt* |
| bekommen | → ich habe | |
| erleben | → ich habe | |
| aufwachsen | → ich bin | |
| passieren | → es ist | |

| | | |
|---|---|---|
| dürfen | → ich | |
| können | → ich | |
| müssen | → ich | *musste* |
| wollen | → ich | |
| sollen | → ich | |

| | | |
|---|---|---|
| sein | → ich | |
| haben | → ich | |

er ist gekommen ≈ er kam
er hat gesagt ≈ er sagte

**A5** Welche Kindheitserinnerungen haben Sie? Machen Sie ein Partnerinterview und berichten Sie über Ihre Partnerin / Ihren Partner.

wo – groß geworden? ● was – gespielt? ●
einmal verletzt? ● Ferien – was gemacht? ●
Eltern – geholfen? ● welche schöne Erinnerung? ● …

▲ Teresa, wo bist du groß geworden?
● Ich bin auf dem Land aufgewachsen,
in einem kleinen Dorf. …

Teresa:
- auf dem Land aufgewachsen
- …

**B1**  **Erinnern Sie sich? Worum geht es in den Konflikten? Ordnen Sie die Texte den Bildern zu.**

☐ Larissa würde das Baby gern Belinda nennen. Simon hätte lieber einen anderen Namen.

☐ Simon und Larissa würden gern allein verreisen. Kurt und Susanne sind dagegen. Larissa meint, dass Maria doch mitfahren könnte.

☐ Simon möchte Comics lesen, er soll aber Maria wecken.

☐ Susanne und Kurt wären gern für ein Wochenende allein und möchten deshalb wegfahren. Maria hätte gern etwas Ruhe und Simon würde gern Skateboard fahren. Kurt will aber, dass Simon lernt.

☐ Larissa und Simon möchten nicht zum Flughafen fahren. Aber Susanne und Kurt wollen, dass Maria bei ihrer Ankunft gleich die ganze Familie kennenlernt.

**B2**  **Lesen Sie B1 noch einmal und ergänzen Sie.**

| Wunsch |
| --- |
| Larissa ..................... das Baby gern Belinda ..................... . |
| Maria ..................... gern etwas Ruhe. |
| Susanne und Kurt ..................... gern für ein Wochenende allein. |
| Simon ..................... Comics lesen. |

| Aufforderung/Vorschlag |
| --- |
| Maria ..................... doch mitfahren. |

**B3** **Worum geht es in diesen Konflikten? Schreiben Sie kleine Texte wie in B1.**

*Der Sohn / Die Tochter möchte/würde/hätte gern …*
*Der Vater / Die Mutter sagt/meint aber, dass …*

**B4** **Spielen Sie nun die Gespräche in B3 und finden Sie einen Kompromiss / eine Lösung.**

*Du könntest doch …*          *Ach nein, ich habe keine Lust.*
*Geh doch …*                  *Das ist keine gute Idee.*

*Ach komm! / Aber …*         *Meinetwegen.*
*Wollen wir das so machen? / Was denkst du?*   *Okay, einverstanden.*
                              *Dann machen wir das so.*

> Du könntest doch mal rausgehen und draußen spielen. Die Sonne scheint.

> Nein, ich habe keine Lust. Ich möchte …

drinnen ←→ draußen

**B5** **Probleme der Jugendlichen und Ratschläge/Vorschläge der Eltern**

**a** Schreiben Sie Kärtchen. Jede/r schreibt eine rote „Problemkarte" und eine blaue „Vorschlags- oder Ratschlagskarte".

> Ich habe Liebeskummer.

> Du solltest mit Freunden ausgehen.

> Ich verstehe meine Mathehausaufgaben nicht.

> Du könntest mit einer Freundin lernen.

**b** Mischen Sie die Kärtchen. Jede/r zieht eine rote und eine blaue Karte.

**c** Fragen Sie und antworten Sie.

● Ich habe Liebeskummer. Was soll ich tun?
▲ Du solltest mit Freunden ausgehen.
  Dann kommst du auf andere Gedanken.

Wiederholung
**Ratschlag**
Du **solltest** mit Freunden ausgehen.

**C1**   **Ordnen Sie zu.**

☐ der Bär          ☐ das Häuschen     ☐ die Schwester
☐ das Bärchen      ☐ das Haus         ☐ das Schwesterchen

1 [Bild]  2 [Bild]   3 [Bild]  4 [Bild]   5 [Bild]  6 [Bild]

die Schwester – das Schwesterchen
das Haus       – das Häuschen

**C2**   **Was meinen Sie? Was sind typische Kosenamen? Kreuzen Sie an.**

☐ Esel   ☐ Zuckermaus   ☐ Kuh   ☐ Schatz   ☐ Drache   ☐ Engel

**C3**   **Lesen Sie den Text und ergänzen Sie.**

Nüdelchen ● Bärchen ● Fee ● Schätzchen ● Dickerchen

> der Kosename, -n
> liebevolle Anrede für den Partner, für
> Familienmitglieder und enge Freunde

## „Sag mir was Nettes"
### Deutsche zeigen bei Kosenamen wenig Fantasie

Die Deutschen sind bei der Wahl von Kosenamen eher einfallslos: Fast jeder zweite nennt seinen
Partner oder seine Partnerin *Schatz*, ........................... oder *Liebling*. Auch Kosewörter aus der
Tierwelt, wie ..........................., *Häschen* oder *Mausi*, sind sehr populär. Oder aber der Kosename
steht für bestimmte Eigenschaften: Der etwas runde Mann wird schnell zum ..........................., der
5 starke Raucher zum *Dampfmaschinchen*, die schöne Frau zu *Meine Schöne*. Beliebt sind außerdem
– vor allem bei Männern – Begriffe aus den Bereichen Märchen und Essen wie ...........................,
*Engelchen*, *Keks* oder ........................... Aber Vorsicht! Welcher Mann findet es schon lustig, wenn
sein *Nüdelchen* ihn vor den Arbeitskollegen *Dickerchen* nennt? Kosenamen sind reine Privatsache!
Übrigens: Eine Befragung hat gezeigt, dass viele Leute dankbar sind, wenn ihr Partner sie einfach mit
10 ihrem richtigen Namen anspricht, denn sie empfinden Kosenamen oft als unangenehm oder respektlos.

> **Schon fertig?**
> Sammeln Sie Kosenamen in Ihrer
> Sprache und übersetzen Sie.

**C4**   **Suchen Sie passende Wörter in C3.**

| -bar, -ig, -los, un- | -er, -in, -ung | ... + ... |
|---|---|---|
| danken   – ................ | rauchen     – ................ | die Arbeit + *der* Kollege = |
| die Lust – ................ | der Partner – ................ | *der* ................s................ |
| der Einfall – ............ | befragen    – ................ | das Tier + *die* Welt = die ............ |
| angenehm – ............ | | |

**C5**   **Welche Gruppe findet in zehn Minuten die meisten Wörter?**
**Suchen Sie auch im Wörterbuch.**

| -ung | -er | -in | -ig | -bar | -los | un- |
|---|---|---|---|---|---|---|
| | | | | | | |

**D1**   **Lesen Sie die Postkarte und ergänzen Sie die Tabelle.**

> Liebe Karin,
>
> das Baby ist da! Es ist ein so süßes Mädchen! Du wirst es ja sehen, wenn Du mich besuchst. Einen Namen gibt es noch nicht. Simon und Larissa haben sogar im Krankenhaus gestritten, weil sie sich nicht einigen konnten. Na ja, Susanne und Kurt streiten sich ja auch manchmal, aber ich finde, sie sind trotzdem ein sehr glückliches Paar. Streiten gehört bei ihnen einfach dazu.
> Schön, dass Du kommst. Ich freue mich schon, denn dann lernst Du sie ja kennen, meine wunderbare Familie!
>
> Viele liebe Grüße
> Maria

| | | | |
|---|---|---|---|
| ...................................... | , wenn | ...................................... | _besuchst_ . |
| ...................................... | , weil | ...................................... | ...................... |
| ...................................... | , dass | ...................................... | ...................... . |

**D2**   **Was meinen Sie? Worüber streiten Paare am häufigsten? Ergänzen Sie die Statistik.**

Flirt mit anderen ● zu wenig Aufmerksamkeit ● zu wenig Zeit ● Haushalt ● Erziehungsfragen ● Geld ● Unzuverlässigkeit

| | | % |
|---|---|---|
| ① | ...................................... | 23% |
| ② | ...................................... | 21% |
| ③ | ...................................... | 18% |
| ④ | ...................................... | 11% |
| ⑤ | ...................................... | 8% |
| ⑥ | ...................................... | 6% |
| ⑦ | ...................................... | 3% |

**D3**   **Vergleichen Sie Ihre Ergebnisse mit den Ergebnissen einer Meinungsumfrage. Was hat Sie überrascht?**

① zu wenig Zeit ② Haushalt ③ Erziehungsfragen ④ Geld ⑤ Unzuverlässigkeit ⑥ zu wenig Aufmerksamkeit ⑦ Flirt mit anderen

**D4**   **Hören Sie ein Interview mit einem Ehepaar. Worüber streiten die beiden am häufigsten?**

■ ...................................... ■ ...................................... ■ ......................................

**D5**   **Ergänzen Sie. Hören Sie dann noch einmal und vergleichen Sie.**

denn ● aber ● trotzdem ● deshalb

a   Ich räume dauernd auf,  ......................................  findet Justus mich unordentlich.

b   Du hast fast nie Zeit für mich –  ......................................  bin ich öfters mal sauer.

c   Das ist auch so ein Problem,  ......................................  Justus ist einfach nicht streng genug.

d   Wir streiten schon oft,  ......................................  für uns gehört das zu einer glücklichen Ehe.

**CD 2 55**

**E1**  **Ergänzen Sie den Liedtext. Hören Sie dann einen Ausschnitt aus einem Lied von Udo Jürgens und vergleichen Sie.**

Schuss • an • Schluss • daran

in Schuss kommen = fit/aktiv werden

Mit 66 Jahren, da fängt das Leben ..................... . Mit 66 Jahren, da kommt man erst in ..................... .
Mit 66 Jahren, da hat man Spaß ..................... . Mit 66 Jahren, da ist noch lange nicht ..................... .

**E2**  **Lesen Sie den Text.**

**a**  Ergänzen Sie den „Steckbrief" für Birgitta Schulze.

| | | |
|---|---|---|
| Eltern/Geschwister? | ..................... | Beruf? ..................... |
| Verheiratet – wann/mit wem? | ..................... | Hobbys? ..................... |
| Kinder? | ..................... | |

**b**  In welchen Lebensabschnitten war sie sehr glücklich / glücklich / zufrieden / unglücklich? Was meinen Sie?

## Alles, nur nicht stehen bleiben, Birgitta!
### Frau Schulze und sechs Abschnitte aus ihren 66 Lebensjahren

„**Mit 16 hast du natürlich Träume.** Ich wollte zum Theater. Aber meine Mutter konnte die Schauspielschule nicht bezahlen. Mein Vater ist im Krieg gefallen und wir waren ja fünf Geschwister."

„**Mit 26 habe ich das dritte Kind bekommen.** Damals war das ganz normal, viele haben jung geheiratet. Mein Mann ist fast zehn Jahre älter als ich. Er war Beamter im Finanzamt und ich habe mich um Kinder und Haushalt gekümmert."

„**Mit 36 war ich oft müde.** So ein Leben als Hausfrau und dreifache Mutter ist wirklich ganz schön anstrengend. Ich habe gedacht: Wenn die Kinder aus dem Haus sind, kommt auch wieder eine leichtere Zeit."

„**Mit 46 waren die Kinder weg** und es ist mir nicht besser gegangen, sondern richtig schlecht. Ich hatte Depressionen und überhaupt keine Idee, was ich jetzt noch machen sollte. Mein Leben hat auf einmal still-gestanden."

„**Mit 56 ging es mir wieder besser.** Die Krise war vorbei und ich hatte neue Aufgaben. Ich war aktives Mitglied bei Amnesty International und in unserem Kulturverein. Und dreifache Oma war ich auch."

„**Heute bin ich 66 und fühle mich prima.** Mein Mann ist schon seit Jahren in Pension, wir genießen unser Leben, wir reisen viel und haben inzwischen fünf Enkelkinder. Und mein Jugendtraum ist auch noch wahr geworden: Seit zwei Jahren spiele ich in einer Theatergruppe mit."

**E3**  **Lebensabschnitte**

Ergänzen Sie die Sätze und erzählen Sie im Kurs: Was haben Sie in dieser Zeit erlebt, was planen Sie für diesen Lebensabschnitt?

- meine Träume
- meine Pläne/Aufgaben
- meine Familie
- mein Beruf
- meine Freunde

Mit 16 Jahren ...
Mit 26 Jahren ...
Mit 36 Jahren ...
Mit 46 Jahren ...
Mit 56 Jahren ...
Mit 66 Jahren ...

*Mit 16 Jahren hatte ich einen Traum:*
*Ich wollte viel reisen und die Welt kennenlernen.*
*Ich habe aber zuerst meine Ausbildung gemacht.*

*Mit 26 Jahren habe ich geheiratet und bin nach*
*Bremerhaven gezogen. Jetzt bin ich 29 Jahre alt und*
*habe ein Kind.*

*Mit 36 Jahren hätte ich gern ein Haus oder eine eigene*
*Wohnung. Oder vielleicht sogar mein eigenes Geschäft.*

*Mit 46 Jahren ...*

## Grammatik

### 1 Wiederholung: Perfekt

| regelmäßige und unregelmäßige Verben | trennbare Verben | nicht-trennbare Verben | Verben auf -*ieren* |
|---|---|---|---|
| ge**spielt** | **auf**gehört | *ver*letzt | pass**iert** |
| ge**kommen** | **auf**gewachsen | *be*kommen | |

········▸ ÜG, 5.03, 5.05

### 2 Wiederholung: Präteritum

| | sein | haben | wollen | dürfen | können | müssen | sagen | kommen |
|---|---|---|---|---|---|---|---|---|
| ich/er/es/sie | **war** | **hatte** | **wollte** | **durfte** | **konnte** | **musste** | **sagte** | **kam** |

········▸ ÜG, 5.06

### 3 Wiederholung: Konjunktiv II

| Wunsch | | Aufforderung/Vorschlag | Ratschlag |
|---|---|---|---|
| ich **hätte** (gern) ... | ich **würde** (gern) ... nennen | wir **könnten** ... | du **solltest** ... |
| ich **wäre** (gern) ... | ich **möchte** ... | | |

········▸ ÜG, 5.17

### 4 Wiederholung: Wortbildung

**a Adjektive**

Nomen/Verb → Adjektiv

| Ruhe | → | ruhig |
|---|---|---|
| Mühe | → | mühelos |
| erreichen | → | erreichbar |

| Adjektiv | → | Adjektiv |
|---|---|---|
| gesüßt | → | ungesüßt |

········▸ ÜG, 11.02

**b Nomen**

Komposita: Nomen + Nomen

die Kinder + der Garten = der Kindergarten

| Nomen | → | Nomen |
|---|---|---|
| der Erzieher | → | die Erzieherin |
| die Schwester | → | das Schwesterchen |

| Verb | → | Nomen |
|---|---|---|
| bewegen | → | die Bewegung |
| erziehen | → | der Erzieher |

········▸ ÜG, 11.01

### 5 Wiederholung: Satzverbindungen

**a** Hauptsatz + Nebensatz: Konjunktionen *wenn, weil, dass*

| Du wirst es ja sehen, | wenn | du mich | besuchst. |
|---|---|---|---|
| Sie haben gestritten, | weil | sie sich nicht einigen | konnten. |
| Schön, | dass | du | kommst. |

········▸ ÜG, 10.06, 10.09, 10.11

**b** Hauptsatz + Hauptsatz: Konjunktionen *aber, denn, deshalb, trotzdem*

| Das ist auch so ein Problem, | aber | Justus ist einfach nicht streng genug. |
|---|---|---|
| Wir streiten oft, | denn | für uns gehört das zu einer glücklichen Ehe. |
| Du hast fast nie Zeit für mich, | deshalb | bin ich öfters mal sauer. |
| Ich räume dauernd auf, | trotzdem | findet Justus mich unordentlich. |

········▸ ÜG, 10.04, 10.05

## Wichtige Wendungen

**Einen Lösungsvorschlag machen**

Du könntest doch ... • Geh doch ... • Ach komm!/Aber ... • Wollen wir das so machen?/Was denkst du?

**Auf einen Lösungsvorschlag reagieren**

Ach nein, ich habe keine Lust. • Das ist keine gute Idee. • Meinetwegen. • Okay, einverstanden. • Dann machen wir das so.

**Freude/Gefallen ausdrücken: Schön, dass ...**

Schön, dass du kommst.

Abschied? Nein! Stopp! Ganz so weit sind wir noch nicht. Vorher wollen wir ein bisschen über Musik sprechen und trotzdem beim Thema bleiben. Es gibt nämlich viele deutschsprachige Abschiedslieder. Manche sind traurig, manche sind voll Hoffnung, einige sind ziemlich lustig. Ein paar stellen wir Ihnen auf dieser Doppelseite kurz vor. Bei zwei Liedern können Sie sogar mitsingen. Die Melodien dazu finden Sie auf der CD. Danach können Sie dann „Servus" sagen oder auch „Auf Wiedersehen!" … „Bis dann!" … „Tschüs!" … „Salü!" … „Tschö!" … „Bis bald!" … „Tschau!" … „Auf Wiederluege!" … „Ade!" … „Wir sehen uns!"

Bis dann! Tschö! Servus!

Tschüs! Bis bald! Auf Wiedersehen!

Salü! Auf Wiederluege! Ade!

Tschau! Wir sehen uns!

**1** **Sehen Sie die Abschiedswörter auf dieser Seite an.**
Welche kommen wohl aus Deutschland, welche aus Österreich und welche aus der Schweiz?

CD 2 56-57 **2** **Hören Sie nun die Liedausschnitte 3 und 4 und singen Sie mit.**

CD 2 58-59 **3** **Karaoke. Hören Sie die Melodien ohne Text und singen Sie selbst.**

**4** **Schreiben Sie nun selbst ein Abschiedsgedicht.**
Sie können die Wörter rechts benutzen. Vielleicht fallen Ihnen noch andere ein? Wir wünschen Ihnen auf jeden Fall viel Spaß beim Liedermachen und beim gemeinsamen Singen!

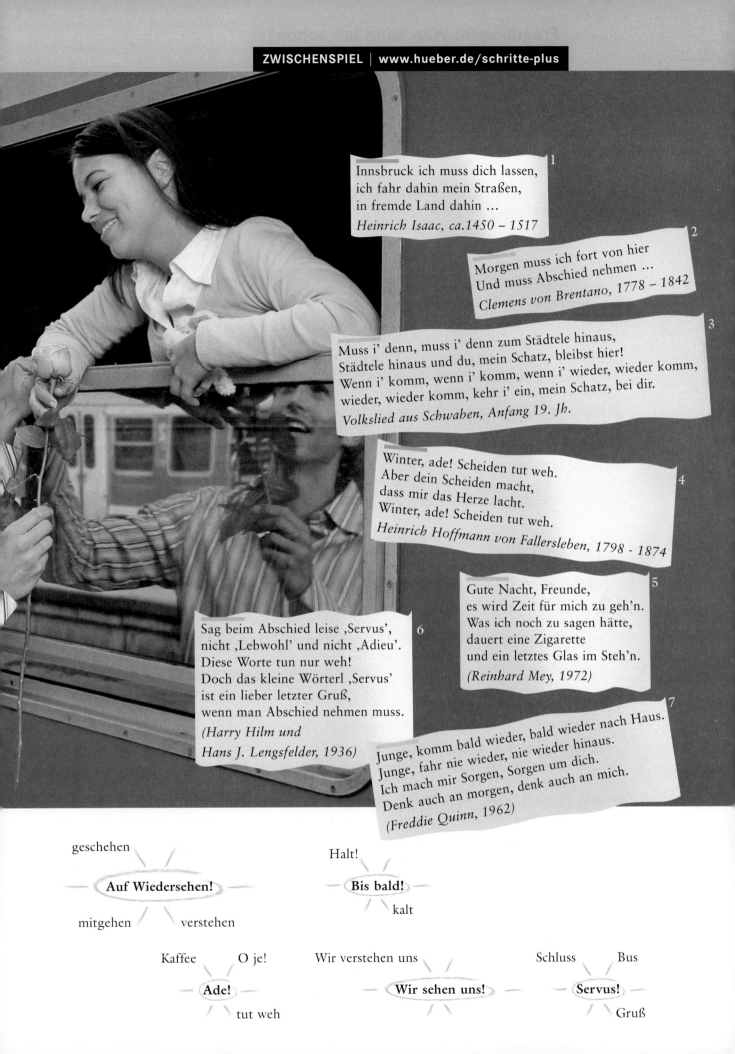

Innsbruck ich muss dich lassen,
ich fahr dahin mein Straßen,
in fremde Land dahin …
*Heinrich Isaac, ca.1450 – 1517*

1

Morgen muss ich fort von hier
Und muss Abschied nehmen …
*Clemens von Brentano, 1778 – 1842*

2

Muss i' denn, muss i' denn zum Städtele hinaus,
Städtele hinaus und du, mein Schatz, bleibst hier!
Wenn i' komm, wenn i' komm, wenn i' wieder, wieder komm,
wieder, wieder komm, kehr i' ein, mein Schatz, bei dir.
*Volkslied aus Schwaben, Anfang 19. Jh.*

3

Winter, ade! Scheiden tut weh.
Aber dein Scheiden macht,
dass mir das Herze lacht.
Winter, ade! Scheiden tut weh.
*Heinrich Hoffmann von Fallersleben, 1798 - 1874*

4

Gute Nacht, Freunde,
es wird Zeit für mich zu geh'n.
Was ich noch zu sagen hätte,
dauert eine Zigarette
und ein letztes Glas im Steh'n.
*(Reinhard Mey, 1972)*

5

Sag beim Abschied leise ‚Servus',
nicht ‚Lebwohl' und nicht ‚Adieu'.
Diese Worte tun nur weh!
Doch das kleine Wörterl ‚Servus'
ist ein lieber letzter Gruß,
wenn man Abschied nehmen muss.
*(Harry Hilm und
Hans J. Lengsfelder, 1936)*

6

Junge, komm bald wieder, bald wieder nach Haus.
Junge, fahr nie wieder, nie wieder hinaus.
Ich mach mir Sorgen, Sorgen um dich.
Denk auch an morgen, denk auch an mich.
*(Freddie Quinn, 1962)*

7

geschehen

**Auf Wiedersehen!**

mitgehen / verstehen

Halt!

**Bis bald!**

kalt

Kaffee    O je!

**Ade!**

tut weh

Wir verstehen uns

**Wir sehen uns!**

Schluss    Bus

**Servus!**

Gruß

# Fragebogen: Was kann ich schon?

*Hören*

| | | | |
|---|---|---|---|
| Ich kann Veranstaltungstipps im Radio verstehen: *Am nächsten Samstag beginnt in Berlin wieder der „Karneval der Kulturen". Dieses Straßenfest ist inzwischen weit über die Grenzen von Berlin hinaus bekannt. ...* | | | |
| Ich kann komplexe Nachrichten auf dem Anrufbeantworter verstehen: *Guten Tag, Frau Osiris. Hier Praxisteam Dr. Kammerer/Dr. Kerner. Wir müssen leider den Termin für Ihre Untersuchung und die Grippeimpfung verschieben. Herr Dr. Kammerer ist am 30. leider überraschend auf einem Kongress ...* | | | |
| Ich kann komplexere Wegbeschreibungen verstehen: *Also, du gehst rechts, also Richtung Stadtmitte, immer die Fünffensterstraße entlang, bis zum Rathaus ...* | | | |
| Ich kann Verkehrsmeldungen verstehen: *In weiten Teilen Baden-Württembergs dichter Nebel mit Sichtweiten teilweise unter 50 Metern. Fahren Sie bitte ganz besonders vorsichtig.* | | | |
| Ich kann einfache Interviews verstehen: *Wofür geben die Leute ihr Geld aus?* | | | |

*Lesen*

| | | | |
|---|---|---|---|
| Ich kann Anzeigen für Veranstaltungen verstehen: *Wir feiern Wiedereröffnung mit einem Tag der offenen Tür am ...* | | | |
| Ich kann Leserumfragen lesen: *Unsere Leserumfrage: Wochenend' und Sonnenschein* | | | |
| Ich kann kurze Informationstexte lesen: *Achtung beim Einkaufen im Fernsehen!* | | | |
| Ich kann Angebotsprospekte verstehen. | | | |
| Ich kann kurze Zeitungsartikel verstehen: *Heilbronn – Endlich. In den Kneipen braucht bald niemand mehr Geld ...* | | | |
| Ich kann Tests und ihre Auswertung verstehen: *Welcher „Handytyp" sind Sie?* | | | |
| Ich kann Sicherheitshinweise verstehen: *Tragen Sie am besten einen Fahrradhelm. Dieser schützt den Kopf vor Verletzungen.* | | | |
| Ich kann Reiseprospekte verstehen: *Wunderschöner Campingplatz in ruhiger Umgebung. Nur fünf Minuten zum Strand.* | | | |
| Ich kann Postkarten lesen: *Lieber Lukas, schön, dass du mich bald besuchst!* | | | |
| Ich kann Statistiken und Meinungsumfragen lesen und auswerten: *Worüber streiten sich Paare am häufigsten?* | | | |
| Ich kann eine Rechnung verstehen: *Heizkostenabrechnung für die Mietwohnung Untere Gasse 12, Rechnungsnummer 12/06 05* | | | |
| Ich kann in Online-Katalogen bestimmte Informationen finden und verstehen: *Sie brauchen eine neue Kaffeemaschine. Welchen Begriff klicken Sie an?* | | | |

## Sprechen

Ich kann Gegensätze ausdrücken: *Nina soll nicht so lange schlafen. Trotzdem bleibt sie bis zehn Uhr im Bett.*

Ich kann Wünsche äußern: *Ich würde gern Theater spielen.*

Ich kann Vorschläge machen: *Nächsten Samstag könnten wir was zusammen machen.*

Ich kann meine Meinung sagen: *Ein braunes Sofa? Das passt doch nicht zu einem Schrank mit schwarzen Türen.*

Ich kann Dinge miteinander vergleichen: *Also, ich finde die Kette schöner als die Ohrringe.*

Ich kann um Informationen bitten, z.B. am Post- oder Bankschalter: *Ich habe hier einen Brief nach Südafrika. Was kostet der denn?*

Ich kann eine Geschichte nacherzählen: *Aber dann stellt Maria fest, dass ...*

Ich kann Ortsangaben machen und Wege beschreiben: *Du fährst bis zur nächsten Kreuzung. Da musst du links abbiegen.*

Ich kann über Reiseziele sprechen, Reisen planen und eine Reise im Reisebüro buchen: *Wir könnten in die Sahara fahren. / Ich möchte die Reise nach London buchen. Wie lange dauert denn der Flug?*

Ich kann mich über Dienstleistungen unterhalten: *Reparierst du dein Fahrrad selbst oder lässt du es reparieren?*

Ich kann bei Konflikten auf Lösungsvorschläge reagieren:
*Machen wir das so? – Meinetwegen.*

## Schreiben

Ich kann eine Wunschliste schreiben: *Wir würden gerne am Computer Übungen machen, Texte lesen, ...*

Ich kann eine schriftliche Wegbeschreibung machen: *Pass auf, du fährst am besten immer die B 304 entlang.*

Ich kann Einladungen schreiben und Vorschläge machen: *Liebe/Lieber..., komm doch mal nach Pakistan. Ich möchte dir so gern meine Heimat zeigen.*

Ich kann einen einfachen Beschwerdebrief schreiben: *Sehr geehrte Damen und Herren, ich habe bei Ihnen das Radio „Extech 2020" bestellt. Aber ich habe eine Kaffeemaschine bekommen ...*

Ich kann einen Paketschein und andere Post- und Bankformulare ausfüllen.

Ich kann mich entschuldigen und das begründen: *Entschuldigen Sie bitte, dass ... Aber ...*

# Inhalt Arbeitsbuch

# Das Wetter ist nicht besonders schön.
# **Trotzdem** wollen wir mal für zwei Tage raus hier.

**A1** **1** **Was machen die Leute am Wochenende? Lesen Sie die Texte und ordnen Sie zu.**

A        B        C        D

## Unsere Leserumfrage: Wochenend' und Sonnenschein

**Seit Wochen ist das Wetter schlecht. Jetzt sagt der Wetterbericht endlich: Es wird warm und sonnig. Wir haben unsere Leser gefragt: Was machen Sie am nächsten Wochenende?**

**1** □ Wir machen gern Ausflüge. Am Wochenende wollen wir mit der Bahn in die Berge fahren und dort den ganzen Tag bleiben. Mein Mann sagt: „Ein Tag in den Bergen ist wie eine Woche Urlaub." *Marianne Werner, Postangestellte*

**2** □ Das Wetter wird warm? Dann gehen wir am Sonntag mit der ganzen Familie an den Kirchweiler See. Wir nehmen Essen und Getränke mit. Einen Ball haben wir auch dabei und wir spielen viel Fußball. Leider ist der Sonntag immer schnell vorbei. *Fausto Grimaldi, Fahrer*

**3** A Ich arbeite viel und komme immer sehr spät von der Arbeit nach Hause. Am Wochenende ruhe ich mich aus. Bei schönem Wetter sitze ich im Garten und mache gar nichts. Und wenn am Abend ein guter Film im Fernsehen kommt, bin ich glücklich. *Klaus Windlich, Abteilungsleiter*

**4** □ Am Wochenende schlafe ich lange. Ich stehe auf keinen Fall vor 11 Uhr auf. Aber am Nachmittag spiele ich Fußball oder gehe ins Schwimmbad. Da kann ich meine Freunde treffen. *Peter Lustig, Schüler*

**A1** **2** **Warum machen die Leute das? Ordnen Sie zu.**

**a** Familie Werner fährt in die Berge.
**b** Fausto Grimaldi geht mit der Familie an den Kirchweiler See.
**c** Klaus Windlich sitzt im Garten und ruht sich aus.
**d** Peter Lustig geht ins Schwimmbad.

Er muss in der Woche viel arbeiten.
Er kann da seine Freunde treffen.
Das ist wie eine Woche Urlaub.
Er kann dort mit den Kindern Fußball spielen.

*Wiederholung Schritte plus 3 Lektion 1* **3** **Schreiben Sie die Sätze aus Übung 2 mit *weil*.**

**a** Familie Werner fährt in die Berge, *weil das wie eine Woche Urlaub ist.*
**b** Fausto Grimaldi geht mit der Familie an den Kirchweiler See, …
**c** Klaus Windlich sitzt im Garten und ruht sich aus, …
**d** Peter Lustig geht ins Schwimmbad, …

**A1** **4** **Es regnet am Wochenende! Schreiben Sie Sätze mit *trotzdem*.**

**a** Aber Familie Werner fährt in die Berge.
.Trotzdem fährt Familie Werner in die Berge.......................................................
**b** Aber Familie Grimaldi geht an den Kirchweiler See.
...............................................................................................................
**c** Aber Herr Windlich sitzt ungefähr drei Stunden im Garten.
...............................................................................................................
**d** Aber Peter Lustig geht ins Schwimmbad.
...............................................................................................................

btraining

## 5 Und was machen Sie am Wochenende?
**Schreiben Sie eine Mail. Schreiben Sie wie in Übung 1.**

> Ich mache gern ... • Am liebsten ... •
> Ich gehe immer ... • Da kann/will ich ... •
> Trotzdem ... • weil ... • ...

> mit Freunden treffen • Fußball/
> Tennis ... spielen • Ausflüge machen •
> nichts tun • lange schlafen • ...

> Lieber Fred,
> danke für Deine Mail. Das ist ja interessant, was Du am
> Wochenende machen willst. Also, bei mir wird das Wochenende so:
> Am Freitagabend ...

## 6 Schreiben Sie Sätze mit *trotzdem* wie in den Beispielen.

**a** Ich habe heute keine Lust. Trotzdem spüle ich das Geschirr.
*Ich spüle trotzdem das Geschirr.*

**b** Ich habe kein Geld. Trotzdem fahre ich in Urlaub.
*Ich fahre*

**c** Es ist eiskalt draußen. Trotzdem läuft deine Tochter im T-Shirt herum.
*Deine Tochter*

**d** Es gefällt mir so gut bei euch. *Trotzdem*
Ich muss trotzdem gehen.

**e** Ich mag diesen Film nicht. Trotzdem gehe ich mit dir ins Kino.
..................................................................................................................................................

**f** Diese Übung ist fertig. ...........................................................................................
Es gibt trotzdem keine Pause.

## 7 Machen Sie eine Tabelle und tragen Sie die Sätze b und c aus Übung 6 ein.

nmatik
decken

| a | Trotzdem | spüle | ich | das Geschirr. |
|---|----------|-------|-----|---------------|
|   | Ich | spüle | trotzdem | das Geschirr. |
| b | ... | | | |

## 8 Was passt? Ordnen Sie zu und schreiben Sie Sätze mit *trotzdem*.

**a** Es regnet.                         Ich schaue mit meinen Freunden einen Film an.
**b** Ich muss lernen.                   Ich höre es mit dir an.
**c** Ich mag dieses Musikstück nicht.   Er geht nicht ins Bett.
**d** Er ist müde.                       Er isst viel Süßes.
**e** Er ist zu dick.                    Wir fahren Fahrrad.

*Es regnet. Trotzdem fahren wir Fahrrad.*

## 9 Was machen Sie manchmal trotzdem? Schreiben Sie.

Ich bin müde. Trotzdem ...          Ich habe keine Lust. ...
Ich muss lernen. ...                Es kommt abends nichts Interessantes im Fernsehen. ...
Es regnet. ...                      Ich will nicht streiten. ...

**B1** **10** **Wünsche!**

**a** Was passt? Ordnen Sie zu.

1 Ich bin im Büro. — Ich würde lieber ans Meer fahren.
2 Ich habe einen Hund. — Ich hätte lieber eine Katze.
3 Wir fahren in die Berge. — Ich wäre lieber im Schwimmbad.

**b** Ergänzen Sie die Formen.

1 Ich bin … *Ich wäre* .....................

2 Ich habe … ...............................................

3 Wir fahren, tanzen, gehen spazieren .......................................................................

**B2** **11** **Was passt? Kreuzen Sie an.**

**a** Ich liebe Tiere. Ich ☐ würde ☐ wäre ☒ hätte gern eine Katze.
**b** Das Wetter ist so schön und ich sitze im Büro. Ich ☐ würde ☐ wäre ☐ hätte lieber spazieren gehen.
**c** Immer ist es so laut bei uns. Ich ☐ würde ☐ wäre ☐ hätte gern mal ein bisschen Ruhe.
**d** Ich bin krank. Ich ☐ würde ☐ wäre ☐ hätte lieber gesund.
**e** Meine Eltern gehen im Urlaub in die Berge. Ich ☐ würde ☐ wäre ☐ hätte lieber ans Meer fahren.
**f** Ich möchte tanzen. Ich ☐ würde ☐ wäre ☐ hätte jetzt am liebsten in der Disco.

**B2** **12** **Schreiben Sie Wünsche mit *wäre – hätte – würde*.**

**a** Sie muss arbeiten. – in der Sonne liegen
*Sie würde lieber in der Sonne liegen.* ............................................................................ .

**b** Ich bin so allein. – bei dir sein
........................................................................................................................................

**c** Er muss für die Schule lernen. – mit Freunden ins Schwimmbad gehen
........................................................................................................................................ .

**d** Wir müssen noch eine Übung schreiben. – auf dem Balkon sitzen
........................................................................................................................................ .

**e** Es regnet und ich muss noch nach Hause gehen. – schon zu Hause sein
........................................................................................................................................ .

**f** Ich muss arbeiten. – Urlaub haben
........................................................................................................................................ .

**B2** **13** **Ich wäre auch gern … Schreiben Sie.**

**a** ● Hallo, wo bist du gerade?
■ Ich liege gerade am Strand. Das Wetter ist herrlich.
● *Oh, da wäre ich jetzt auch gern. / Oh, ich würde* ............
*auch gern am Strand liegen.* ..................................

**b** ▲ Weißt du, ich habe heute frei und sitze im Garten.
● ............................................................................................................ .

**c** ▼ Ich bin gerade am Flughafen. In einer Stunde fliege ich nach Brasilien.
● ............................................................................................................ .

**d** ◆ Wir sind kurz vor dem Feldberg. Wir machen gerade eine Wanderung.
● ............................................................................................................ .

**14** **Notieren Sie im Lerntagebuch.**

Schreiben Sie und zeichnen Sie.

LERNTAGEBUCH

*Mein Alltag*

*Ich bin den ganzen Tag zu Hause.*
*Jeden Tag muss ich den Haushalt machen.*
*Immer ...*

*Meine Wünsche*

*Ich würde lieber in der Sonne liegen.*
*Ich hätte gern einen Garten.*
*Ich ...*

············▶ Portfolio

Phonetik 02 **15** **Hören Sie und achten Sie auf die Betonung ⁄. Welches Wort ist am stärksten betont? Unterstreichen Sie.**

**a** Michael hätte gern ein neues Fahrrad. Er würde sehr gern eine Radtour nach Wien machen.

**b** Franziska wäre gern schon achtzehn. Sie würde so gern den Führerschein machen.

**c** Ich wäre jetzt gern bei meiner Freundin in Hamburg. Ich würde ihr so gern meine Probleme erzählen.

**d** Ich bin Verkäuferin. Ich hätte gern eine andere Arbeit. Ich würde gern mit Kindern arbeiten.

**Lesen Sie die Sätze laut: zuerst langsam, dann schnell.**

Phonetik **16** **Schreiben Sie einen Wunsch wie in Übung 15 c oder d und markieren Sie die Betonung ⁄.**

**Lesen Sie dann laut: zuerst langsam, dann schnell.**

Phonetik 03 **17** **Hören Sie und achten Sie auf die Betonung ⁄ __ und die Pausen: | = kurz, || = länger.**

Ich arbeite viel →|und komme immer sehr spät nach Hause. ▮▮||
Am Wochenende ruhe ich mich aus. ▮▮||Bei schönem Wetter sitze ich im Garten ▮▮|
und mache gar nichts. ▮▮||Und wenn am Abend ein guter Krimi im Fernsehen kommt, ▮▮|
bin ich glücklich. ▮▮

04 **Hören Sie noch einmal und markieren Sie die Satzmelodie ↘ →.**

**Lesen Sie dann den Text laut.**

Phonetik **18** **Was machen Sie am Wochenende? Schreiben Sie.**

**Markieren Sie die Pausen | || , die Betonung ⁄ __ und die Satzmelodie → ↘ .**

**Lesen Sie dann den Text vor.**

*Am Freitagabend gehe ich meistens ...*

# 8 C Ich **könnte** rübergehen.

**C1** **19** **Was könnte ich machen? Schreiben Sie.**

**a** ● Ich brauche ein bisschen Bewegung.
  ■ Dann mach doch einen Spaziergang!
  *Du könntest einen Spaziergang machen.* .

**b** ▲ Ich würde gern mal wieder einen Film sehen.
  ● Dann geh doch ins Kino.
  *Du könntest*

**c** ▼ Meine Oma hat nächste Woche Geburtstag.
  ◆ Schenk ihr doch Blumen.

**d** ■ Ich möchte ein Fußballspiel sehen.
  ▲ Geh doch am Samstag ins Stadion. Da spielt Freiburg gegen Kaiserslautern.

**e** ● Das Wetter ist heute in den Bergen so schön.
  ◆ Dann mach doch einen Ausflug.

**C4** **20** **Bringen Sie die Sätze in die richtige Reihenfolge.**

**a** □ ▲ Einen Ausflug? Gute Idee! Das machen wir.
  [1] ▲ Was machen wir am Wochenende? Hast du eine Idee?
  □ ▲ Also dann, bis Sonntag.
  □ ▲ Wie wäre es am Sonntag um zehn?
  □ ● Wir könnten einen Ausflug machen.
  □ ● Wann sollen wir uns treffen?
  □ ● Ja, das geht bei mir.

**b** □ ■ Schade, am Wochenende geht leider nicht. Meine Mutter kommt zu Besuch. Aber wie wäre es in zwei Wochen?
  □ ■ Tschüs.
  □ ■ Das wäre schön. Wir haben schon lange nicht zusammen gefrühstückt.
  □ ■ Ja, schade. Na dann, vielleicht ein anderes Mal. Ich rufe dich wieder an.
  □ ▼ In Ordnung. Bis dann und Tschüs.
  [1] ▼ Hallo, Susi. Du, ich würde dich gern zum Frühstück einladen.
  □ ▼ Da kann ich leider nicht. Da bin ich bei Freunden in Dresden.
  □ ▼ Hast du am Sonntagmorgen Zeit?

## 21 Hast du Zeit?

**a** Ergänzen Sie die Gespräche.

**1** das geht bei mir • Wie wär's • Idee • Also, dann • Warum nicht • Lust • Wir könnten mal

● Hallo, wie geht's dir?

■ Danke, gut. Wir haben uns lange nicht gesehen. *Wir könnten mal* .................... wieder was zusammen unternehmen. Hast du ...............................?

● Gute ................................................. .

■ ................................................. mit Kino?

● .................................? Im Tivoli läuft gerade ein toller Film.

■ Hast du morgen Abend Zeit?

● Ja, ................................................. .

■ ................................................. bis morgen Abend.

**2** Schade • es tut mir sehr leid • trotzdem vielen Dank für die Einladung • einladen

▲ Guten Tag, Frau Müller.

▼ Guten Tag, Frau Huber.

▲ Am 7. August, also in zwei Wochen, feiert mein Mann seinen 40. Geburtstag. Wir würden Sie und Ihren Mann gern zu einem Glas Sekt *einladen* .

▼ Das ist sehr nett, Frau Huber. Aber ..................................................., das geht leider nicht. Da sind wir in Urlaub.

▲ ..................................................., dass Sie nicht kommen können.

▼ Ja, sehr schade, aber ................................. ................................................. .

**b** Hören Sie und vergleichen Sie.

## 22 Ergänzen Sie.

lieber in die Disco gehen • Warum nicht? Uhrzeit? • leid tun, keine Lust haben • gute Idee, Stuttgart gegen Hamburg spielen • eigentlich lieber einen Ausflug mit Jutta machen

**a** ● Ich würde gern Karten spielen. ☹
■ *Tut mir leid, aber ich habe keine Lust* .

**b** ▲ Wir könnten am Wochenende ein Fußballspiel ansehen. ☺
■ .................................................

**c** ▼ Ich würde am Samstagabend gern ins Kino gehen. ☹
● .................................................

**d** ■ Ich gehe morgen auf dem Markt einkaufen. Kommst du mit? ☺
◆ .................................................

**e** ▲ Ich würde gern am Sonntagmittag mit dir ins Schwimmbad gehen. ☹
▼ .................................................

## 23 Schreiben Sie kurze Gespräche.

**a** ☹ Tennis spielen – krank sein – in zwei Wochen wieder
**b** ☺ eine Wanderung machen – am nächsten Wochenende – wohin gehen
**c** ☺ schwimmen gehen – morgen Nachmittag – wann genau treffen
**d** ☹ Donnerstagabend essen gehen – keine Zeit haben – vielleicht Freitag

**a** ● *Ich würde gern mit dir Tennis spielen.*
■ *Schade, das geht leider nicht. Ich bin*
● *vielleicht*

**D1** **24** **Was passt? Kreuzen Sie an.**

| | gehen | bleiben | fahren | machen | besuchen | spielen | anschauen | schlafen |
|---|---|---|---|---|---|---|---|---|
| Tennis | | | | | | x | x | |
| Freunde | | | | | | | | |
| tanzen | | | | | | | | |
| einen Ausflug | | | | | | | | |
| spazieren | | | | | | | | |
| bis elf Uhr | | | | | | | | |
| ein Fußballspiel | | | | | | | | |
| ins Schwimmbad | | | | | | | | |
| eine Radtour | | | | | | | | |
| Skateboard | | | | | | | | |
| zu Hause | | | | | | | | |

**D4** Prüfung **25** **Einen Ausflug planen**

Sie möchten mit ein paar Freunden aus Ihrem Deutschkurs am Samstag einen Ausflug machen.
Überlegen Sie, wohin Sie fahren könnten. Jeder bekommt ein Aufgabenblatt mit Vorschlägen.

**a** Notieren Sie zu jedem Vorschlag ein Stichwort auf ein Blatt.
Was finden Sie gut, was finden Sie nicht so gut? Warum? Schreiben Sie!

*Wanderung: zu viel mitnehmen, zu anstrengend*
*Schifffahrt: gut; lustig, aber teuer*
*...*

**b** Was kann man sagen? Schreiben Sie.

*Wir könnten ...*            *Das finde ich gut.*          *Ich würde lieber ...*
*Ich hätte Lust auf ...*  ☺ *Das ist eine gute Idee.*  ☹ *Das ist doch zu langweilig/*
*Ich ...*                       *. . .*                           *weit/teuer.*
                                                                      *. . .*

**c** Sprechen Sie über die Vorschläge. Arbeiten Sie zu zweit.

● Wir könnten eine Wanderung machen.
■ Ich weiß nicht. Da müssen wir erst weit fahren.
● Wir können die S-Bahn nehmen, das ist schnell und nicht teuer.
■ Ich würde aber lieber eine Fahrradtour machen, da können wir
   direkt von zu Hause losfahren.
● Das ist eine gute Idee. Das machen wir.
■ ...

**d** Präsentieren Sie Ihre Gespräche im Kurs.

**26  Stadtfest in Lamstein**

## Stadtfest Lamstein 12. Juli

**Sportpark Heinemannstraße**
15.00–19.00 Uhr    Hobby-Fußballturnier um den Carsten-Klepel-Cup

**Fußgängerzone**
14.00–18.00 Uhr    Spielestraße für Kinder: Kindertheater, Clowns

**Festzelt Rathauswiese**
11.00–12.00 Uhr    Jazzfrühschoppen mit den Jazzhouse Stompers
14.00 Uhr          Seniorennachmittag mit Überraschungen
                   Blasorchester Ramsburg, Hits der Swing-Ära
20.00–22.00 Uhr    Heimatabend
                   buntes Programm mit den Lamsteiner Musik- und Gesangsvereinen
22.00–24.00 Uhr    Tanz mit der Showband „Ina und die Jungs"

**Partybühne in der Fußgängerzone**
19.00–22.00 Uhr    Lamstein international: Tänze aus Italien, Griechenland, Spanien
                   und aus der Türkei
22.00–24.00 Uhr    Partymusik mit D.J. Horst: Oldies bis Techno
22.30 Uhr          großes Brilliant-Feuerwerk

**a**  Sehen Sie das Plakat an. Wann kann man das machen? Ordnen Sie zu.
**1** Musik hören    **2** tanzen    **3** Spiele machen    **4** Sport machen

**b**  Wohin gehen Sie? Schreiben Sie.
**1** Sie wollen Jazz hören.

*Ich gehe zum Jazzfrühschoppen.*

**2** Sie haben Kinder und wollen etwas Lustiges sehen.

**3** Sie interessieren sich für internationale Tänze.

**4** Sie spielen gern Fußball.

**c**  Wie ist Ihr Programm?
Machen Sie Stichpunkte und erzählen Sie.    *14 Uhr: Kindertheater*    Um 14 Uhr gehe ich mit den Kindern ins Kindertheater.

Projekt  **27  Veranstaltungen am Wochenende**

**a**  Sammeln Sie Informationen.
■ In Ihrer lokalen Zeitung: Auf welchen Seiten finden Sie Informationen?
  An welchen Tagen gibt es Informationen?
■ In Ihrer lokalen Radiostation: Wann kann man Freizeittipps hören?
■ Wo kann man noch Informationen bekommen? (Touristen-Information, Internet ...)

**b**  Bringen Sie die Informationen mit in den Unterricht.
Machen Sie eine Wandzeitung für das kommende Wochenende.

Kino, Musik, Theater, Sport, Feste ...

**c**  Was würden Sie gern am kommenden Wochenende machen? Erzählen Sie.

## Freizeitaktivitäten

Aktivität die, -en .....................................

Disco die, -s .....................................

Discothek die, -en .....................................

Flohmarkt der, ⸚e .....................................

Klavier das, -e .....................................

Klavierspieler der, - .....................................

Krimi der, -s .....................................

Oper die, -n .....................................

Schiff das, -e .....................................

Treffpunkt der, -e .....................................

auf den Flohmarkt
gehen, ist gegangen .....................................

einen Krimi lesen/
sehen, hat gelesen/
gesehen .....................................

etwas unternehmen,
unternimmt,
hat unternommen .....................................

Schiff fahren,
ist gefahren .....................................

## Veranstaltungen und Kurse

Ausstellung die, -en .....................................

Besuch der, -e .....................................

Besucher der, - .....................................

Eintritt der, -e .....................................

Ermäßigung die, -en .....................................

Eröffnung die, -en .....................................

Kultur die, -en .....................................

Semester das, - .....................................

Eintritt frei .....................................

Tag der offenen Tür .....................................

aus·stellen,
hat ausgestellt .....................................

ein·schreiben (sich), hat
sich eingeschrieben .....................................

werktags .....................................

## Natur

Kuh die, ⸚e .....................................

Natur die .....................................

Pferd das, -e .....................................

Pflanze die, -n .....................................

Ruhe die .....................................

Schwein das, -e .....................................

Stein der, -e .....................................

Tier das, -e .....................................

Wald der, ⸚er .....................................

## Weitere wichtige Wörter

Ausgabe die, -n .....................................

Geschichte die, -en .................................

Gott der, ⁻er .........................................

Kindersachen die (Pl.) ............................

Markt der, ⁻e .........................................

Märchen das, - .......................................

Reihe die, -n .........................................

Renovierung die, -en ...............................

Sender der, - ..........................................

Spielzeug das, -e ....................................

Stadtteil der, -e ......................................

Streichholz das, ⁻er .................................

(Streichholz)Schachtel
    die, -n ............................................

Tor das, -e ............................................

Wunsch der, ⁻e .......................................

ab·lehnen,
    hat abgelehnt ....................................

an·nehmen, nimmt an,
    hat angenommen ..............................

einen Vorschlag ablehnen/
    annehmen ........................................

eine Frage stellen,
    hat gestellt ......................................

entdecken,
    hat entdeckt .....................................

fallen, ist gefallen ..................................

husten, hat gehustet ...............................

(Karten) mischen,
    hat gemischt .....................................

übernachten,
    hat übernachtet .................................

verändern,
    hat verändert ....................................

verwenden,
    hat verwendet ...................................

vor·lesen, liest vor,
    hat vorgelesen ..................................

wünschen (sich),
    hat sich gewünscht ............................

altmodisch ...........................................

ander- ..................................................

besonder- .............................................

bunt .....................................................

einfach .................................................

historisch .............................................

körperlich .............................................

perfekt .................................................

(un)sicher .............................................

spannend ..............................................

immer noch ...........................................

(lebens/stunden)lang .............................

mehrmals .............................................

allein ...................................................

bloß .....................................................

gegenüber ............................................

halb .....................................................

je ........................................................

trotzdem ..............................................

zu Ende ...............................................

Wiederholung **1** **Wie heißt das Gegenteil? Ordnen Sie zu.**

**a** billig — klein      **b** lang      langweilig
dick      dunkel          interessant    leicht
groß — teuer             neu           kurz
hell      dünn            schwer        alt

Wiederholung **2** **Verrückter Flohmarkt. Ergänzen Sie.**

dick ● groß ● ~~lang~~ ● alt ● klein ● kurz

▼ Wie gefällt/gefallen Ihnen ...?

**a** die Kette?     ■ Die ist nicht schlecht. Aber sie ist viel zu *lang* .

**b** das Regal?     ■ Das ist zu ............................. . Da passt doch gar kein Buch rein.

**c** der Tisch?     ■ Nein, die Beine sind zu ............................. .

**d** das Buch?      ■ Das ist mir zu ............................. .

**e** das Handy?     ■ Das ist doch viel zu ............................. .

**f** diese Schuhe?  ■ Ach, die sind zu ............................. .

A1 **3** **Ergänzen Sie *der – das – die*.**

**a** ............... Kette    Das ist eine lange Kette.      **d** ............... Bücher   Das sind interessant**e** Bücher

**b** ............... Tisch    Das ist ein rund**er** Tisch.    **e** ............... Gläser   Das sind keine schön**en** Gläser.

**c** ............... Handy    Das ist ein gut**es** Handy.

A1
Grammatik
entdecken **4** **Ergänzen Sie die Tabelle.**

| der Tisch | Das ist ... | ein | rund *er* | Tisch. | *er* |
| das Handy | | ein | groß .......... | Handy. | .......... |
| die Kette | | eine | lang .......... | Kette. | .......... |
| die Bücher | Das sind ... | – | interessant *e* | Bücher. | .......... |
| | | keine | interessant .......... | Bücher. | .......... |

A2 **5** **Was ist das? Schreiben Sie.**

■ Was ist denn das?
▲ Das ist/sind ...

**a** Flohmarkt, klein   ▲ *ein kleiner Flohmarkt* .

**b** Lampe, gut        ▲ ............................................. .

**c** Buch, billig      ▲ ............................................. .

**d** Tisch, rund       ▲ ............................................. .

**e** Stühle, bequem    ▲ ............................................. .

A2 **6** **Was ist richtig? Kreuzen Sie an.**

**a** Das ist aber ein    □ groß □ große ☒ großes      Handy!
**b** Das ist aber eine   □ schön □ schöne □ schönen    Brille!
**c** Das ist aber ein    □ klein □ kleine □ kleiner    Tisch!
**d** Das sind aber       □ alt □ alte □ alten          Schuhe!
**e** Das ist aber eine   □ lang □ lange □ langen       Halskette!

**7** Was hat Claudia wirklich vom Flohmarkt mitgebracht? Vergleichen Sie mit dem Einkaufszettel.

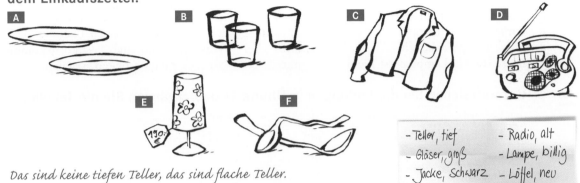

- Teller, tief     - Radio, alt
- Gläser, groß     - Lampe, billig
- Jacke, schwarz   - Löffel, neu

**a** *Das sind keine tiefen Teller, das sind flache Teller.*

**8** Und was nimmst du? Ergänzen Sie e – en – es.

**a** ▲ Nimmst du diese Lampe? ● Ja, ich brauche so eine hell*e* Lampe.

**b** ▲ Und den Tisch? ● Nein, ich brauche keinen rund.......... Tisch.

**c** ▲ Und das Handy hier? ● Nein, ich habe schon ein gut.......... Handy.

**d** ▲ Möchtest du diese Bücher? ● Nein, ich mag keine alt.......... Bücher.

**e** ▲ Schau mal, die Gläser! ● Gute Idee, ich brauche auch noch schön.......... Gläser!

**9** Wir haben nur ...! Ergänzen Sie.

**a** ■ Ich suche ein*en* neu*en* Sessel.

  ▼ Wir haben gar keine alt*en* Sessel!
  Wir haben nur neu*e* Sessel.

**b** ■ Ich suche ein........ hell........ Lampe.

  ▼ Wir haben nur hell........ Lampen.

**c** ■ Ich suche ein........ billig........ Kamera.

  ▼ Ja, wir haben sehr billig........ Kameras.

**d** ■ Ich suche ein........ interessant........ Buch.

  ▼ Wir haben keine langweilig........ Bücher,
  wir haben nur interessant........ Bücher.

**10** Haben Sie ...? Schreiben Sie.

**a** Schrank, groß ☺
  ◆ *Haben Sie einen großen Schrank* ? ● *Ja, wir haben große Schränke* .

**b** Schal, dick ☹
  ◆ .................................................. ? ● *Nein* ......................................... .

**c** Kanne, blau ☺
  ◆ .................................................. ? ● .................................................. .

**d** Regal, braun ☹
  ◆ .................................................. ? ● .................................................. .

**e** Kaffeemaschine, gut ☺
  ◆ .................................................. ? ● .................................................. .

**f** Zuckerdose, schön ☺
  ◆ .................................................. ? ● .................................................. .

**B2**

**11** **Was passt? Kreuzen Sie an.**

| | | | |
|---|---|---|---|
| **a** | Garantie haben Sie nur | ☐ von ☒ bei ☐ aus | einer neuen Lampe. |
| **b** | Lampen kauft man am besten | ☐ nach ☐ seit ☐ in | einem guten Geschäft. |
| **c** | Ich suche eine Lampe | ☐ in ☐ mit ☐ bei | einem schönen Licht. |
| **d** | Diese Lampe habe ich | ☐ mit ☐ bei ☐ von | einem alten Freund bekommen. |
| **e** | Diese dunkle Lampe passt nicht | ☐ mit ☐ bei ☐ zu | meinen hellen Regalen. |

**B2**

Grammatik
entdecken

**12** **Unterstreichen Sie die Endungen in Übung 11 und ergänzen Sie die Tabelle.**

| der Freund | von | ein*em* | alt*en* | Freund |
|---|---|---|---|---|
| das Geschäft | in | ein.......... | gut.......... | Geschäft |
| die Lampe | bei | ein.......... | neu.......... | Lampe |
| die Regale | zu | mein.......... | hell.......... | Regalen |

**B2**

**13** **Ergänzen Sie.**

**a** ● Was suchen Sie? ■ Ich brauche einen Anzug mit ein*er* elegant*en* Jacke.
**b** ■ Kann ich Ihnen helfen? ▼ Ja, ich suche einen Kleiderschrank mit groß....... Türen.
**c** ▲ Was ist denn das? ■ Das ist ein Computer mit ein....... flach....... Bildschirm.
**d** ▼ Haben Sie eine Frage? ◆ Ja. Gibt es dieses Besteck auch mit klein....... und groß....... Löffeln?
**e** ◆ Gefallen Ihnen diese Schuhe? ● Nein. Ich brauche Schuhe mit ein....... weich....... Sohle.

**B3**

**14** **Spielzeug ist aus ...? Kreuzen Sie an.**

| | Stoff | Holz | Glas | Metall | Papier | Plastik/Kunststoff |
|---|---|---|---|---|---|---|
| Spielzeug | x | x | | x | | x |
| Flaschen | | | | | | |
| Kleider | | | | | | |
| Möbel | | | | | | |
| Fenster | | | | | | |
| Autos | | | | | | |
| Bücher | | | | | | |

**B3**

**15** **Ergänzen Sie.**

Ich gehe mit mein*er*..... best*en*.... (**a**) Freundin auf den Flohmarkt. Sie braucht ein........ neu.......... (**b**) Wecker. Der erste Händler hat groß.......... (**c**) Wecker. Da sagt meine Freundin: „Ihre Wecker sind zu groß, ich brauche ein.......... klein.......... (**d**) Wecker." Der zweite Händler hat sehr klein.......... (**e**) Wecker. Da sagt meine Freundin: „Ihre Wecker sind zu klein, ich brauche ein.......... groß.......... (**f**) Wecker." Der dritte Händler hat schön.........(**g**) Wecker. Aber sie sind zu leise. Meine Freundin sagt: „Ich brauche ein.......... laut..........(**h**) Wecker." Der vierte Händler hat sehr alt............. (**i**) Wecker. Meine Freundin sagt: „Ihre Wecker sind zu alt. Ich brauche ein.......... neu.......... (**j**) Wecker." Beim fünften Händler findet sie ein.......... nicht zu groß.......... (**k**), nicht zu klein.......... (**l**), nicht zu leis.......... (**m**) und nicht zu alt.......... (**n**) Wecker. „Endlich!", denke ich. Aber der Wecker hat kein Licht. Meine Freundin sagt: „Ich brauche einen Wecker mit ein.......... hell.......... (**o**) Licht!" Am Ende frage ich sie: „Was für einen Wecker hattest du denn vorher?" „Keinen", sagt sie. „Mein Handy war mein Wecker." „Dann kauf dir doch ein neu.......... (**p**) Handy!", sage ich. „Aber bitte nicht heute. Sonst gehst du noch den anderen Händlern ‚auf den Wecker'!"

**Phonetik 06** **16** **Auf dem Flohmarkt – Hören Sie und sprechen Sie nach. Achten Sie auf den Rhythmus.**

Sieh mal da,
ein dicker, warmer Schal●ein alter, großer Wecker●ein schwarzes Regal●ein tolles Besteck●
eine schöne Kette●eine schwarze Jacke●schöne, alte Bücher●billige Bildschirme●
Ich brauche keinen dicken, warmen Schal, keinen alten, großen Wecker.●
Ich brauche einen großen Schrank, einen langen Rock, einen eleganten Mantel.

**Phonetik** **17** ***Sieh mal da, ein gelbes Fahrrad.* Was passt zusammen? Sprechen Sie.**

| Sieh mal da, ... | ein eine | gelb...●rund...●alt...●billig... | Fahrrad●Tisch●Kamera●Lampe |
|---|---|---|---|
| Ich möchte ... | einen ein | breit...●groß...●elegant...● klein... | Sofa●Schrank●Kleid●Radio |

**Phonetik 07** **18** **Hören Sie und sprechen Sie nach.**

von einem alten Freund●aus einem dünnen Stoff●nach einem schönen Urlaub●
in einem guten Geschäft●zu einem tollen Konzert●mit einer blauen Bluse●
mit einer dicken Mütze●mit langen Haaren●mit roten Rosen●aus frischen Tomaten

**Phonetik** **19** ***Mit netten Leuten.* Was passt zusammen? Sprechen Sie.**

| in | einem einer | groß...●alt...●klein...● | Kaufhaus●Buch●Stadt● |
|---|---|---|---|
| mit | – | nett...●braun...●freundlich...● | Leuten●Augen●Grüßen● |
| aus | – | frisch... | Orangen |

**20** **Notieren Sie im Lerntagebuch.** LERNTAGEBUCH

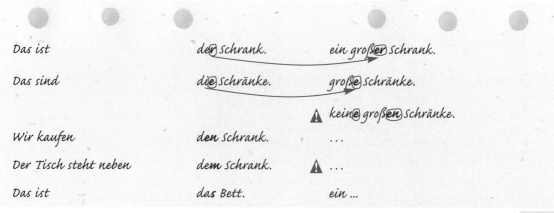

Das ist | der Schrank. | ein großer Schrank.
Das sind | die Schränke. | große Schränke.
 | | ⚠ keine großen Schränke.
Wir kaufen | den Schrank. | ...
Der Tisch steht neben | dem Schrank. | ⚠ ...
Das ist | das Bett. | ein ...

▶ Portfolio

**C2**  **21**  **Ergänzen Sie.**

|  | (+) | (++) | (+++) |  | (+) | (++) | (+++) |
|---|---|---|---|---|---|---|---|
| **a** | *billig* | *billiger* | am billigsten | **h** | | | am jüngsten |
| **b** | | *schöner* | am schönsten | **i** | | | am gesündesten |
| **c** | | | am leichtesten | **j** | | *höher* | am höchsten |
| **d** | | *besser* | am besten | **k** | | *dunkler* | am dunkelsten |
| **e** | | | am längsten | **l** | | | am liebsten |
| **f** | | | am größten | **m** | | *teurer* | am teuersten |
| **g** | | | am interessantesten | **n** | | *mehr* | |

**C3**  **22**  **Ergänzen Sie.**

**a** schön: Heute ist das Wetter *schöner als* gestern. Aber *am schönsten* war es letzte Woche.

**b** leicht: Aufgabe 11 ist ........................ Aufgabe 7. Aber ........................ ist Aufgabe 3.

**c** gut: Kuchen schmeckt mir ........................ Schokolade. Aber ........................ schmeckt mir Eis.

**d** lang: Eine U-Bahn ist ........................ ein Bus. Aber ........................ ist ein Zug.

**e** hoch: Ein Wohnhaus ist ........................ ein Gartenhaus. Aber ........................ ist ein Hochhaus.

**f** gesund: Gemüse ist ........................ Kekse. Aber ........................ ist Schokolade, sagt meine Tochter.

**g** jung: Papa ist ........................ Mama. Aber ........................ bin ich, die Julia.

**h** billig: Ein Motorrad ist ........................ ein Auto. Aber ........................ ist ein Fahrrad.

**i** groß: Unser Hund ist ........................ unsere Katze. Aber ........................ ist unser Pferd.

**C3**  **23**  **Was ist richtig? Kreuzen Sie an.**

**a** Franz ist so alt ☒ wie ☐ als Herbert.

**b** Salat ist gesünder ☐ wie ☐ als Schokolade.

**c** Diese Puppe gefällt mir besser ☐ wie ☐ als die dort.

**d** Diese Sohle ist so weich ☐ wie ☐ als die andere.

**e** Dieses Haus ist höher ☐ wie ☐ als der Baum.

**C3**  **24**  **Ergänzen Sie.**

**a** Kuchen esse ich gern. Eis esse ich auch gern.

→ Kuchen esse ich *so gern wie* Eis.

**b** Das Wetter ist heute gut. Gestern war es auch gut.

→ Das Wetter ist heute ........................ gestern.

**c** Die Kamera kostet 299 Euro. Der Fernseher kostet auch 299 Euro.

→ Die Kamera ist ........................ der Fernseher.

**d** Das Metallregal ist zwei Meter hoch. Das Holzregal ist auch zwei Meter hoch.

→ Das Metallregal ist ........................ das Holzregal.

**25** **Drei Angebotsprospekte: Vergleichen Sie und schreiben Sie.**

**SHARP** LC 15 L 1 E
TFT-FLACHBILDFERNSEHER

**PHILIPS** TV 20-7835
TFT-FLACHBILDFERNSEHER

**THOMSON** 27 LCDB 03 B
TFT-FLACHBILDFERNSEHER

|  | SHARP LC 15 | PHILIPS TV 20 | THOMSON 27 LCDB |
|---|---|---|---|
| Bildschirmgröße | 38 cm | 51 cm | 67 cm |
| Tiefe | 5,9 cm | 8,2 cm | 8,7 cm |
| Gewicht | 3,7 kg | 7,5 kg | 9 kg |
| Preis | 1699 ,- | 999 ,- | 2299 ,- |

**a** Größe: groß/klein
**b** Gewicht: schwer/leicht
**c** Preis: teuer/billig

**a** *Der Philips ist größer als der Sharp, aber der Thomson ist …*
*Der Philips ist kleiner als der Thomson, aber …*

**26** **Ergänzen Sie.**

**a** ● Gefällt dir die Jacke gut? ■ Ja, aber die da drüben finde ich *.besser.* .

**b** ▼ Papa ist jünger als Mama. ▲ Nein, er ist .................................... .

**c** ◆ Wird das Wetter morgen gut? ▼ Ja, es soll morgen .................................... als heute werden.

**d** ▲ Ist der Fernseher da drüben teuer? ● Nein, er ist .................................... als dieser hier.

**e** ◆ Mein Auto ist schnell. ■ Aber mein Auto ist .................................... .

**27** **Schreiben Sie Vergleiche.**

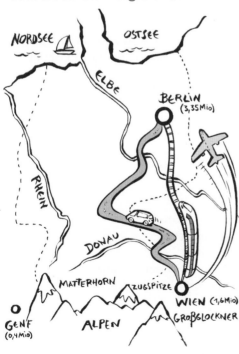

hoch ● kurz ● groß ● lang ● schön ● teuer ● billig

**a** Nordsee + ● Alpen ++ ● zu Hause +++

**b** der Großglockner 3797 Meter ● das Matterhorn 4478 Meter ● die Zugspitze 2963 Meter

**c** Rhein 1320 Kilometer ● Elbe 1165 Kilometer ● Donau 2850 Kilometer

**d** Genf 0,4 Millionen Menschen ● Berlin 3,35 Millionen Menschen ● Wien 1,6 Millionen Menschen

**e** Wien – Berlin:
Zug: 9:33 Stunden, 90 Euro ● Flugzeug: 1:30 Stunden, 189 Euro ● Auto: 9 Stunden, 160 Euro
Preis: *Das.Auto.ist.* ........................
Dauer: *Eine.Fahrt.mit.dem.Zug.dauert.* ........................

**a** *.Die.Nordsee.finde.ich.schön,.die.Alpen.sind.* ........................
*.schöner,.aber.am.schönsten.ist.es.zu.Hause.* ........................

**D2**　**28**　**Was ist hier passiert? Kreuzen Sie an.**

☐ Frau Kilian bekommt von ihrem Mann eine Kaffeemaschine zum Geburtstag.

☐ Frau Kilian hat ein Radio bestellt. Aber im Päckchen ist eine Kaffeemaschine.

☐ Frau Kilian hat eine Kaffeemaschine bestellt. Jetzt braucht sie ein Radio.

**D3**　**29**　**Frau Kilian schreibt an die Firma „Hansa Versand". Lesen Sie die Fragen und unterstreichen Sie die Antworten im Text.**

> Betreff:
>
> Sehr geehrte Damen und Herren,
>
> ich habe am 22. Januar bei Ihnen das Radio „Extech 2020" bestellt. Heute ist das Päckchen gekommen. Aber ich habe eine Kaffeemaschine bekommen. Bitte holen Sie die Kaffeemaschine bei mir ab und schicken Sie mir das Radio.
>
> Mit freundlichen Grüßen
> Susanne Kilian

**a** Was hat Frau Kilian genau bestellt?
**b** Wann hat Frau Kilian bestellt?
**c** Was ist passiert?
**d** Was soll die Firma „Hansa Versand" tun?

**D3**
Schreibtraining　**30**　**Einen Beschwerdebrief schreiben**

**a** Schreiben Sie die Sätze besser.
*Ich habe bei Ihnen einen Fernseher bestellt. ...*
**1** Er funktioniert nicht. (Leider)　*Leider funktioniert er nicht.*..........................................
**2** Die Rechnung stimmt nicht. (Aber)　*Es tut mir leid, aber*..........................................
**3** Schicken Sie eine neue Rechnung. (Bitte)　..........................................

**b** Schreiben Sie einen Brief.
**1** Anzug bestellt – 15. März – zu klein – zurückschicken möchten – Anzug Größe 52 schicken
**2** Kamera gekauft – Modell X-995 – vor einem halben Jahr – kaputt sein – noch Garantie haben – Kamera reparieren und zurückschicken

> *Sehr geehrte Damen und Herren,*
> *am 15. März habe ich bei Ihnen einen Anzug bestellt. Aber ...*
>
> *Mit freundlichen Grüßen*
> *...*

**D4** Projekt　**31**　**Gebrauchte Sachen**

**a** Sammeln Sie die Informationen und machen Sie eine Wandzeitung.
- In welchen Zeitungen gibt es Anzeigen für gebrauchte Sachen?
- An welchen Tagen gibt es diese Anzeigen?
- Gibt es in Ihrem Kursort einen Flohmarkt? Wann und wo ist der Flohmarkt?
- Gibt es Geschäfte mit gebrauchten Sachen („Secondhand"-Läden)? Wo sind sie? Was kann man dort einkaufen und wann?
- Wo kann man in Ihrem Kursort noch gebrauchte Sachen kaufen?

**b** Machen Sie einen Ausflug zu einem Flohmarkt in Ihrer Nähe. Was kann man dort alles kaufen? Haben Sie etwas gekauft? Erzählen Sie.

**32  Ergänzen Sie.**

Sonderangebote • Garantie • Katalog • ~~Prospekt~~ • Qualität • Teleshopping •
Verkaufssendungen • Kreditkarte

**a**  Interessieren Sie sich für dieses Gerät? Hier habe ich einen *Prospekt*..........., da finden Sie alle
Informationen.

**b**  Dieses Gerät ist sehr gut. Es hat eine gute ............................................... .

**c**  Im Fernsehen kommen manchmal ...................................................... . Da kann man anrufen und
Sachen bestellen. Das nennt man .......................................... .

**d**  Sie wollen wissen, was man bei uns kaufen kann? Bestellen Sie unseren großen
............................................... .

**e**  Alles muss raus! Nächste Woche wieder tolle ...................................................... .

**f**  Auf dieses Gerät haben Sie insgesamt zwei Jahre ............................................... . Wenn das Gerät
in dieser Zeit kaputt ist, reparieren wir es kostenlos.

**g**  Überweisen Sie das Geld oder zahlen Sie per ........................................... ?

Prüfung  **33  Bestellen im Internet**

Lesen Sie die Aufgaben 1–5 und die Informationen auf der Internet-Homepage. Welchen Begriff
klicken Sie an? Kreuzen Sie an: a, b oder c.

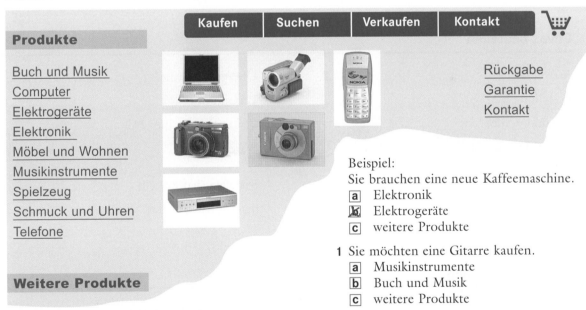

| Kaufen | Suchen | Verkaufen | Kontakt |

**Produkte**

Buch und Musik
Computer
Elektrogeräte
Elektronik
Möbel und Wohnen
Musikinstrumente
Spielzeug
Schmuck und Uhren
Telefone

**Weitere Produkte**

Rückgabe
Garantie
Kontakt

Beispiel:
Sie brauchen eine neue Kaffeemaschine.
- [a] Elektronik
- [x] Elektrogeräte
- [c] weitere Produkte

**1**  Sie möchten eine Gitarre kaufen.
- [a] Musikinstrumente
- [b] Buch und Musik
- [c] weitere Produkte

**2**  Sie möchten einen Kühlschrank kaufen.
- [a] Möbel und Wohnen
- [b] Elektrogeräte
- [c] weitere Produkte

**3**  Sie haben ein Radio bestellt. Aber es ist kaputt.
- [a] Rückgabe
- [b] Elektronik
- [c] weitere Produkte

**4**  Sie möchten Kinderkleider kaufen.
- [a] Kontakt
- [b] Spielzeug
- [c] weitere Produkte

**5**  Sie haben eine Frage zum Internet-Einkauf.
- [a] Rückgabe
- [b] Kontakt
- [c] Garantie

## Einkaufen

Auswahl die ................................................

Einkaufsbummel
der, - ................................................

Fachgeschäft das, -e ................................................

Händler der, - ................................................

Qualität die, -en ................................................

Schaufenster das, - ................................................

handeln, hat gehandelt ................................................

## Produkte

(Musik-)Anlage
die, -n ................................................

Besteck das, -e ................................................

Bildschirm der, -e ................................................

Elektronik die ................................................

Kamera die, -s ................................................

Mütze die, -n ................................................

Nahrungsmittel das, - ................................................

(Deckel/Flaschen)
Öffner der, - ................................................

Produkt das, -e ................................................

Schal der, -s ................................................

Sohle die, -n ................................................

Spielsachen die (Pl.) ................................................

## Etwas bestellen

Artikel der, - ................................................

Bestellung die, -en ................................................

Bezahlung die, -en ................................................

Kredit der, -e ................................................

Kreditkarte die, -n ................................................

Lieferadresse die, -n ................................................

Menge die, -n ................................................

Überweisung die, -n ................................................

Versand der ................................................

Versandkosten die (Pl.) ................................................

Ware die, -n ................................................

bestellen, hat bestellt ................................................

liefern, hat geliefert ................................................

## Etwas beschreiben

Holz das, ⁻er ................................................

Porzellan das ................................................

Kunststoff der, -e ................................................

Plastik das ................................................

Silber das ................................................

Stoff der, -e ................................................

aus Glas/Holz/Metall/
Plastik/Stoff/Kunststoff/
Porzellan/Silber ................................................

eckig ................................................

einfarbig ................................................

einmalig ................................................

elegant ................................................

| fein | ..................................... | lieb | ..................................... |
| flach | ..................................... | rund | ..................................... |
| gebraucht | ..................................... | tief | ..................................... |
| hübsch | ..................................... | wertvoll | ..................................... |

## Weitere wichtige Wörter

| Ausgabe die, -n | ..................................... | reinigen, hat gereinigt | ..................................... |
| Figur die, -en | ..................................... | renovieren, hat renoviert | ..................................... |
| Haut die | ..................................... | sparen, hat gespart | ..................................... |
| Kanal der, Kanäle | ..................................... | streichen, hat gestrichen | ..................................... |
| Risiko das, Risiken | ..................................... | verbessern, hat verbessert | ..................................... |
| Strom der | ..................................... | zu·greifen, hat zugegriffen | ..................................... |
| Überschrift die, -en | ..................................... | | |
| Verzeihung die | ..................................... | bequem | ..................................... |
| Wunder das, - | ..................................... | gründlich | ..................................... |
| Zucker der | ..................................... | pausenlos | ..................................... |
| | | spontan | ..................................... |
| auf·nehmen, nimmt auf, hat aufgenommen | ..................................... | auf keinen Fall | ..................................... |
| aus·geben, gibt aus, hat ausgegeben | ..................................... | plötzlich | ..................................... |
| brauchen, hat gebraucht | ..................................... | sondern | ..................................... |
| entscheiden, hat entschieden | ..................................... | | |
| nach·denken, hat nachgedacht | ..................................... | | |

**A2**

**1**  **Was ist was? Ergänzen Sie.**

das Paket • der Aufkleber • der Absender • der Empfänger • die Briefmarken

...............................................

...............................................

.das. Paket.............................

..............................................

..............................................

**A2**

**2**  **Auf der Post. Was ist das? Raten Sie und schreiben Sie.**

**a**  Mit diesem Papier und Ihrem Pass können Sie ein Päckchen oder Paket bei der Post abholen.
**b**  Das müssen Sie ausfüllen, wenn Sie ein Paket oder Päckchen in einen anderen Kontinent schicken.
**c**  Wenn ein Brief ganz schnell ankommen muss, dann verschicken Sie ihn so.
**d**  Sie haben einen sehr wichtigen Brief. Sie möchten sicher sein, dass der Brief ankommt.
   Wie können Sie den Brief versenden? Als …
**e**  Diese Person bekommt das Paket, das Päckchen, den Brief.

Lösung:

a: _ _ _ O _ C _ _ _
b: Z _ L L _ R _ L Ä _ _ _
c: _ _ _ N _ N _ _
d: _ _ _ _ _ R _ _ _
e: _ M _ _ Ä _ _ R

**A2**

**3**  **Was ist richtig? Kreuzen Sie an.**

|   | Was für | ein | eine | – |  |
|---|---------|-----|------|---|---|
| **a** | Was für |  |  | x | Briefmarken sind das? – Das sind Sondermarken. |
| **b** | Was für |  |  |  | Formular ist das? – Das ist ein Paketschein. |
| **c** | Was für |  |  |  | Sendung ist das? – Eine Eilsendung. |
| **d** | Was für |  |  |  | Schein ist das? – Das ist ein Abholschein für mein Paket. |

**A2**

**4**  **Ergänzen Sie *Was für ...***

**a**  ▲ Wo ist denn der Brief?
   ● *Was für einen*........ meinst du?
   ▲ Na, du weißt schon, das Einschreiben vom Finanz-
      amt. Ich habe es hier auf den Schreibtisch gelegt.

**b**  ■ Wohin hast du denn dieses Formular gelegt?
   ◆ ........................... Formular meinst du?
   ■ Den Paketschein. Den müssen wir doch noch
      ausfüllen und mit dem Paket zur Post bringen.

**c**  ▼ Sie müssen bitte noch eine Zollerklärung ausfüllen.
   ■ Wie bitte? ..................................... Erklärung?
   ▼ Hier, sehen Sie: die Zollerklärung.

**d**  ● Peter, nimm bitte den Abholschein mit
      und hol das Einschreiben auf der Post ab.
   ◆ ................................. Schein soll ich mitnehmen?
   ● Den Abholschein hier. Ach ja, und vergiss
      deinen Ausweis nicht! Den brauchst du
      auch.

**e**  ■ Guten Tag, ich möchte bitte Briefmarken.
   ▼ ................................. Briefmarken möchten Sie?
      Normale oder Sondermarken?
   ■ Zeigen Sie mir mal bitte die Sondermarken.

## 5 Ergänzen Sie.

send **en**
↓
**die** Send **ung**
←

| | | | | |
|---|---|---|---|---|
| **a** | senden | *die Sendung* | **g** | ........................................... die Übung |
| **b** | ........................................... die Verpackung | | **h** | ........................................... die Meinung |
| **c** | beraten | ........................................... | **i** | sich entschuldigen ........................................... |
| **d** | entscheiden | ........................................... | **j** | wohnen ........................................... |
| **e** | (sich) ........................................... die Ernährung | | **k** | ........................................... die Lieferung |
| **f** | ordnen | ........................................... | | |

## 6 Ergänzen Sie Wörter aus Übung 5 in der richtigen Form.

**a** ▲ Ich habe mir gestern eine neue *Wohnung* ........................................... angesehen. Die war super!

● Warum willst du denn umziehen?

**b** ■ Du kannst aber toll Klavier spielen!

● Vielen Dank. Aber ich muss auch jeden Tag eine Stunde ................................................. .

**c** ■ Soll ich das schwarze oder das blaue T-Shirt kaufen? Was ........................................... du?

◆ Ich finde das schwarze schöner.

■ Ja? Ich weiß nicht, ich kann mich einfach nicht ........................................... .

**d** ▼ Mama, hast du Packpapier für mich? Ich möchte das Geschenk für Julia ...........................................!

■ Einen Augenblick. Hier, bitte.

## 7 Anna schickt Nino ein Paket. Füllen Sie für Anna den Paketschein aus.

0211/759957 ● Bücher ● Georgien ● 00995/32/549388 ●
Nino Aptsiauri, Sandukeli 16, 0108 Tbilissi ● Anna Levcovic, Schönallee 22, 40545 Düsseldorf

**DHL PAKET INTERNATIONAL** — Einlieferungsschein/Récépissé — *DHL PAKET*

| Von/De Absender/Expéditeur | Tel.: 0211/75 99 57 | Sendungsnummer (Barcode, falls vorhanden) N° de l'envoi (code à barres, si existant) | Kennnummer des Empfängers Steuernummer/Umsatzsteuer-identifikationsnummer/Zollnummer (falls vorhanden) Référence du destinataire (code fiscal/n° de TVA intra-communautaire/référence en douane (si existant) |
|---|---|---|---|

Name

Straße/Nr.

Zollnummer des Absenders (falls vorhanden) Référence en douane de l'expéditeur (si-existante)

PLZ/Ort

DEUTSCHLAND/ALLEMAGNE

Kann amtlich geöffnet werden/Peut être ouvert d'office

| An/A Empfänger/Destinataire | Tel.: | Wertangabe (in Buchstaben)/Valeur déclarée (en toutes lettres) | In Ziffern/En chiffres EUR |
|---|---|---|---|

Name

Nachnahmebetrag (in Buchstaben)/Montant du remboursement (en toutes lettres) — In Ziffern/En chiffres — ☐ EUR

Anschrift

☐ Ziellandeswährung

IBAN (International Bank Account Number) — BIC (Bank Identifier Code)

Land

Kontoinhaber/Titulaire du compte — Bank/Banque

| Inhaltsbeschreibung/Description détaillée du contenu ① | Menge ② Quantité | Nettogewicht (in kg) ③ Poids net (en kg) | (Zoll-)Wert/Währung ⑤ Valeur (en douane)/Monnaie | Nur für Handelswaren/Pour les envois commerciaux seulement | |
|---|---|---|---|---|---|
| | | | | Zolltarifnummer nach dem HS N° tarifaire du SH ⑦ | Ursprungsland der Waren ⑧ Pays d'origine des marchandises |

☐ Premium/Par avion prioritaire — Gesamtbruttogewicht/Poids brut total ④ — Gesamtwert/Währung Valeur totale/Monnaie — Porto; Gebühren/Frais de port, taxes ⑨

**Art der Sendung** (Bitte Kästchen ankreuzen) Catégorie d'envoi (Veuillez cocher les cases)
☐ Geschenk/Cadeau  ☐ Warenmuster/Echantillon commercial  ☐ Dokumente/Documents  ☐ Warenrücksendung/Retour de marchandise  ☐ Sonstiges/Autre  Erklärung:/Explication: ⑩

**Wird von der Filiale ausgefüllt**
Entgelte/Rémunérations — Wertangabe in SZR/Valeur déclarée en DTS

**Bemerkungen/Observations**
(z. B. Ware unterliegt der Quarantäne/Gesundheitskontrolle, pflanzengesundheitlichen Kontrollen oder anderen Restriktionen) (p. ex. marchandise soumise à la quarantaine/à des contrôles sanitaires, phytosanitaires ou à d'autres restrictions)
☐ Genehmigungen/Autorisations Nr./n°  ☐ Rechnung/Facture Nr./n°  ☐ Bescheinigung/Certificat ⑪ ⑫ ⑬ ⑭

**Bei Unzustellbarkeit** En cas de non-livraison
☐ Rücksenden an den Absender Renvoyer à l'expéditeur
☐ Preisgabe/Traiter comme abandonné ⑯

Einlieferungsstelle/Einlieferungsdatum/Bureau d'origine/Date de dépôt

Datum und Unterschrift des Absenders Date et signature de l'expéditeur ⑮

914-500-000 04/2008

**B2** **8** **Was passt? Ordnen Sie die Sätze den Bildern zu.**

Die Fenster werden geputzt. ● Die Briefe werden sortiert. ● Herr Maier repariert sein Auto. ●
Der Briefträger sortiert die Briefe. ● Christine putzt ihre Fenster. ● Das Auto wird in der Werkstatt
repariert.

**a** .christine.putzt.ihre.Fenster........................  **b** ........................................................

**c** ........................................................  **d** ........................................................

**e** ........................................................  **f** ........................................................

**B2** **9** **Was wird hier gemacht?**

**a** Ergänzen Sie.

transportiert ● gewogen ● sortiert ● verpackt

**1** Die Äpfel werden zuerst ........................... .  **3** Hier werden sie ........................... .

**2** Dann werden sie ........................... .  **4** Schließlich werden sie in den Supermarkt

........................... .

Grammatik
entdecken

**b** Tragen Sie die Sätze aus <u>a</u> in die Tabelle ein.

| **1** | *Die Äpfel* | *werden* | *zuerst* | *...* |
|---|---|---|---|---|
| **2** | | | | |
| **3** | | | | |
| **4** | | | | |

**B2** **10** **Was ist richtig? Kreuzen Sie an.**

| | | wird | werden | |
|---|---|---|---|---|
| **a** | Um wie viel Uhr | | x | die Briefkästen abends zum letzten Mal geleert? |
| **b** | Wo | | | denn ein Eilbrief eingeworfen? |
| **c** | Wie viele Briefe | | | hier täglich sortiert? |
| **d** | Wie | | | Pakete von Amerika nach Europa transportiert? Mit dem Schiff oder mit dem Flugzeug? |
| **e** | Wann | | | unser Fernseher geliefert? |

**11**    **Die Kuckucksuhr in Südamerika. Beschreiben Sie den Weg von Marias Päckchen.**

**a** | Kuckucksuhr verpacken     **b** | auf der Post das Päckchen wiegen     **c** | Päckchenschein und Zollerklärung ausfüllen

**d** | Päckchen verschicken     **e** | Päckchen mit dem Flugzeug transportieren     **f** | die Uhr zu Marias Schwester bringen

**a**   *Die Kuckucksuhr wird verpackt.* ...........................

**b**   *Auf der Post* ...........................

**c**   ...........................

**d**   ...........................

**e**   ...........................

**f**   ...........................

Endlich ist die Kuckucksuhr bei Marias Schwester angekommen.

*Phonetik 08*    **12**    **Hören Sie und sprechen Sie nach.**

| „b" – „p" | „g" – „k" | „d" – „t" |
|---|---|---|
| Bäcker – Päckchen | Glas – Kleidung | Datum – Termin |
| Blatt – Plakat | Garantie – Katalog | Dose – Tasse |
| backen – einpacken | gesund – krank | denken – trinken |

*Phonetik 09*    **13**    **Hören Sie b oder p, d oder t, g oder k? Kreuzen Sie an.**

|  | b | p |  | d | t |  | g | k |
|---|---|---|---|---|---|---|---|---|
| Ich bleibe. | ☒ | ☐ | Sie sind sehr freundlich. | ☐ | ☐ | Es regnet. | ☐ | ☐ |
| Bleib doch hier! | ☐ | ☐ | Tut mir leid. | ☐ | ☐ | Sag doch etwas! | ☐ | ☐ |
| Schreibst du mir? | ☐ | ☐ | Leider nicht. | ☐ | ☐ | Ich sage nichts. | ☐ | ☐ |
| Ich schreibe bald! | ☐ | ☐ | Tschüs, bis bald! | ☐ | ☐ | Zeigen Sie es mir! | ☐ | ☐ |

**Lesen Sie die Sätze.**

*Phonetik 10*    **14**    **Hören Sie und sprechen Sie nach. Achten Sie auf die unterstrichenen Buchstaben.**

in Griechenland – aus Griechenland•in Dortmund – aus Dortmund•
ein Bild – das Bild•vor sechs – nach sechs•von dir – mit dir•
von Bremen – ab Bremen•ansehen – aussehen

*Phonetik 11*    **15**    **Hören Sie und sprechen Sie nach.**

Er ist aus Bremen.•Sind Sie aus Dortmund?•Schreib doch mal!•
Mein Freund bringt mir Blumen.•Frag doch Beate!•Glaubst du das?•
Hilfst du mir?•Wir fliegen ab Berlin.•Gefällt dir die Musik?•
Was sind denn das für Bücher?•Was willst du denn heute Abend tun?

*Phonetik*    **16**    **Sprechen Sie das Sprichwort zuerst langsam, dann immer schneller.**

Lernst du was, dann kannst du was.
Kannst du was, dann bist du was.
Bist du was, dann hast du was.

**C1**

**17**  **Wie heißt das Gegenteil? Ergänzen Sie in der richtigen Form.**

faul ● neu ● teuer ● langweilig ● einfarbig ● kurz ● rund

**a** das bunte    –  *das einfarbige* Radio
**b** der eckige    –  ..................................... Tisch.
**c** die gebrauchte –  ..................................... Kamera
**d** das billige    –  ..................................... Handy

**e** der interessante  –  ..................................... Film
**f** die fleißige    –  ..................................... Angestellte
**g** die lange    –  ..................................... Hose

**C2**

**18**  **Schreiben Sie Gespräche.**

**a** ▲ *Schau mal, wie gefällt dir denn das rote Radio?*
    ● *Nicht so gut, das schwarze gefällt mir besser.*
**b** ▲ *Schau mal, wie ...*

**a** das Radio rot / besser: schwarz
**b** die Uhr weiß / besser: gelb
**c** das Handy bunt / besser: schwarz

**d** der Computer schwarz / besser: grau
**e** die Handytaschen bunt / besser: einfarbig

**C3**

**19**  **Wünsche! Wünsche! Ergänzen Sie.**

**a** ● Schau mal, da ist ein gelbes Radio mit
    grünen Punkten.
    Das gelb*e* Radio hätte ich gern!
**b** ▲ Und da, da ist ein kleiner Fernseher für nur 139 €.
    ● Was für einen meinst du?
    ▲ Na, den klein.......... schwarz.......... Fernseher dort.

**c** ▲ Und schau mal, die neu.......... Kameras da vorne. So eine digitale Kamera hatte ich schon mal
    und war sehr zufrieden. Ich glaube, ich kaufe mir die silbern.......... da.

**d** ● Und da, siehst du die verrückt.......... Handytaschen? So eine lustige aus Stoff mit braunen
    Streifen möchte ich auch haben.

**C3**

**20**  **Ergänzen Sie.**

▲ Meine Schwester macht doch nächste Woche
    eine große Party. Was soll ich denn da anziehen?
● Hm, wie findest du ...

**a** die Hose mit den schwarz.*en*. Streifen?
**b** die Jacke mit dem bunt.......... T-Shirt?
**c** den Rock mit der einfarbig.......... Bluse?

**d** dazu den Schal mit den bunt.......... Blumen?
**e** den Hut mit dem schwarz.......... Schal?

grammatik
ecken

**21** Ergänzen Sie die Tabelle mit Beispielen aus den Übungen 18–20.

|  | der | das | die | die |
|---|---|---|---|---|
| Mir gefällt/ gefallen … | der *graue* Computer | das ........... Handy | die ........... Uhr | die ........... Handytaschen |
| Ich will … | den ........... Fernseher | das ........... Radio | die ........... Kamera | die ........... Handytaschen |
| mit … | dem ........... Schal | dem ........... T-Shirt | der ........... Bluse | den ........... Blumen |

**22** Ergänzen Sie.

**a** ▲ Papa, mit dem neu.*en*........ Fahrrad kann ich
viel schneller fahren als mit dem alt............. !

● Das ist ja wirklich super.

**b** ■ Was, du willst wirklich den teur............. Computer
hier kaufen? Es gibt doch auch billigere!

◆ Ja, aber ich brauche unbedingt einen gut.............
Computer für meine neu............. Arbeit.

**c** ▼ Das Sofa in dem ander............. Geschäft finde
ich viel schöner. Du weißt schon, das weiß.............
Sofa mit den hell............., dünn............. Streifen für
990 €.

● Das hat mir aber nicht so gut gefallen.

**d** ■ Was könnte ich denn der klein.............
Tochter von meiner Freundin zum
Geburtstag schenken? Hast du eine
gut............. Idee?

▲ Wie alt ist sie denn?

■ Ich glaube, sie wird 13 Jahre.

▲ Schenk ihr doch die neu............. CD
von Nena. Die gefällt ihr sicher.

**23** Was ist richtig? Kreuzen Sie an.

**a** Ich nehme ☒ den blauen Rock. ☐ der blaue Rock.
**b** Mir gefällt das Kleid mit ☐ der gelben Jacke. ☐ die gelbe Jacke.
**c** Schau mal, die Hose mit ☐ die weißen Streifen! ☐ den weißen Streifen!
**d** Wie findest du das Hemd mit ☐ den roten Punkten? ☐ die roten Punkte?
**e** Gefällt dir ☐ den blauen Anzug? ☐ der blaue Anzug?

**24** Machen Sie Vorschläge. Schreiben Sie und sprechen Sie.

Bringen Sie Kataloge in den Unterricht mit. Schneiden Sie ein paar Beispiele aus dem Katalog
aus und schreiben Sie Sätze dazu. Sprechen Sie dann mit Ihrer Partnerin / Ihrem Partner:
Was würden Sie gern kaufen?

Sie suchen:

**a** Möbel für ein Kinderzimmer
**b** ein Geschenk für eine 30-jährige Freundin
**c** neue Kleidung für ein Hochzeitsfest
**d** ein Geburtstagsgeschenk für ein 6-jähriges Mädchen

**a** *Ich möchte für das Kinderzimmer den runden Tisch aus dem dunklen Holz.*

**D4**
**CD3** 12-15

## 25   Ein Interview

Die Zeitschrift *Leute Heute* hat einige Personen auf der Straße gefragt: „Heute hat fast jeder Jugendliche ein Handy! Wie finden Sie das?"

**a**   Was antworten die Personen? Finden sie es positiv oder negativ?
Hören Sie und kreuzen Sie an:

| | positiv | negativ |
|---|---|---|
| Person 1 | ☐ | ☐ |
| Person 2 | ☐ | ☐ |
| Person 3 | ☐ | ☐ |
| Person 4 | ☐ | ☐ |

**CD3** 12-15

**b**   Hören Sie noch einmal. Kreuzen Sie an: Richtig oder falsch?

| | | richtig | falsch |
|---|---|---|---|
| **1** | Wenn junge Leute überall telefonieren, stört mich das nicht. | ☐ | ☐ |
| **2** | Mit einem Handy kann man seine Kinder immer erreichen. | ☐ | ☐ |
| **3** | SMS schreiben ist praktisch. | ☐ | ☐ |
| **4** | Jugendliche denken, dass sie ohne Handy nicht leben können. | ☐ | ☐ |

**D4**

## 26   Ergänzen Sie.

unwichtig • unmöglich • unangenehm • unmodern • unfreundlich

**a**   Immer dieser Regen! Ich finde dieses kalte und feuchte Wetter hier sehr *unangenehm*............. .

**b**   ▲ Wir haben nur noch fünf Minuten! Den Zug um 14.35 Uhr erreichen wir sicher nicht mehr.
    ● Ja, das ist ................................. . Nehmen wir doch den um 15.12 Uhr.

**c**   In dieses Restaurant gehe ich nie mehr! Der Kellner war so ................................... zu uns.

**d**   Wir müssen jetzt zuerst das Auto auspacken. Alles andere ist im Moment ................................ .

**e**   Ich finde, das Kleid kannst du nicht zur Hochzeit anziehen. Das ist doch mindestens
fünf Jahre alt und ................................! Kauf dir lieber ein neues!

**D4**

## 27   Notieren Sie im Lerntagebuch: Wortfamilien.

LERNTAGEBUCH

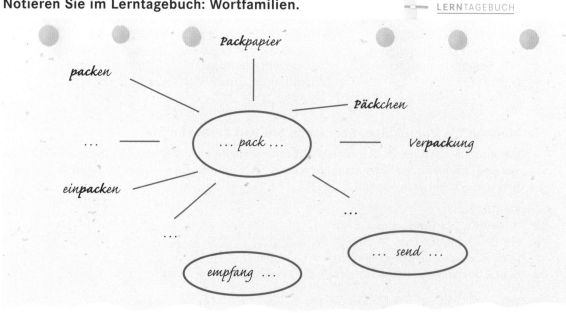

▶ Portfolio

**28** **Was passt? Ordnen Sie zu.**

**a** den Ausweis                beantragen
**b** auf einen Anrufbeantworter    surfen
**c** ein Visum                sprechen
**d** einen Termin             verschieben
**e** im Internet              verlängern

**29** **Warum sind Sie nicht oder zu spät in den Deutschkurs gekommen? Schreiben Sie.**

Treffen mit dem Elternbeirat haben • bei der Reinigung etwas abholen • im Konsulat Ausweis
verlängern • zum Arzt zur Grippeimpfung gehen

**a** Es tut mir leid, dass ich heute so spät komme.    **c** Ich wollte pünktlich kommen, aber ...
Aber ich musste ...

**b** Ich konnte gestern leider nicht kommen, weil ...    **d** Entschuldigen Sie, dass ich zu spät bin ...

**30** **Und warum sind Sie schon einmal zu spät gekommen? Wer hat die beste
Entschuldigung? Schreiben Sie und sprechen Sie im Kurs.**

*Entschuldigen Sie bitte, dass ich zu spät gekommen bin.
Aber mein Wecker hat nicht geklingelt.
Leider ...*

**31** **Eine Entschuldigung schreiben**

**a** Warum können Sie heute Abend nicht kommen? Schreiben Sie Ihrer Freundin /
Ihrem Freund eine E-Mail.

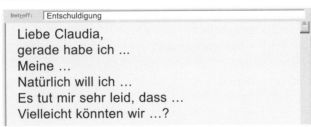

Betreff: | Entschuldigung

Liebe Claudia,
gerade habe ich ...
Meine ...
Natürlich will ich ...
Es tut mir sehr leid, dass ...
Vielleicht könnten wir ...?

Anruf von Vater • Mutter im Krankenhaus •
nicht kommen können •
heute Abend Mutter besuchen •
Treffen verschieben?

**b** Schreiben Sie Ihrer Freundin eine E-Mail, warum Sie morgen nicht zu einer Verabredung
kommen können.

## Auf der Post

| | | | |
|---|---|---|---|
| (Abhol-)/(Paket-)schein der, -e | .................... | Verpackung die, -en | .................... |
| Absender der, - | .................... | ein·werfen, wirft ein, hat eingeworfen | .................... |
| (Post-)Sendung die, -en | .................... | erhalten, erhält, hat erhalten | .................... |
| Aufkleber der, - | .................... | rein·schreiben, hat reingeschrieben | .................... |
| Eilsendung die, -en | .................... | schicken, hat geschickt | .................... |
| Einschreiben das, - | .................... | als Einschreiben schicken | .................... |
| Empfänger der, - | .................... | sortieren, hat sortiert | .................... |
| Päckchen das, - | .................... | transportieren, hat transportiert | .................... |
| Paket das, -e | .................... | verpacken, hat verpackt | .................... |
| Sondermarke die, -n | .................... | wiegen, hat gewogen | .................... |
| Zoll der, ⸚e | .................... | | |
| Zollerklärung die, -en | .................... | | |

## Termine beim Arzt

| | | | |
|---|---|---|---|
| Grippe die | .................... | (den/einen Termin) verschieben, hat verschoben | .................... |
| Impfung die | .................... | | |
| Untersuchung die, -en | .................... | | |

## Telefon, Handy, Internet

| | | | |
|---|---|---|---|
| (Kurz-)Nachricht die, -en | .................... | einen Vertrag abschließen | .................... |
| Klingelton der, ⸚e | .................... | (an)klicken, hat angeklickt | .................... |
| Mobiltelefon das, -e | .................... | an·schalten, hat angeschaltet | .................... |
| Vertrag der, ⸚e | .................... | | |
| ab·schließen, hat abgeschlossen | .................... | digital | .................... |

## Weitere wichtige Wörter

DVD die, -s ....................................

Geldbörse die, -n ....................................

Karton der, -s ....................................

Kneipe die, -n ....................................

Konsulat das, -e ....................................

Möglichkeit die, -en ....................................

Langeweile die ....................................

Punkt der, -e ....................................

Reinigung die, -en ....................................

Streifen der, - ....................................

Treffen das, - ....................................

Unterschied der, -e ....................................

Weile die ....................................

mit Streifen/Punkten ....................................

beantragen,
  hat beantragt ....................................

besorgen, hat besorgt ....................................

gut tun,
  hat gut getan ....................................

merken, hat gemerkt ....................................

nützen, hat genützt ....................................

stören, hat gestört ....................................

überlegen (sich),
  hat sich überlegt ....................................

wert sein,
  ist wert gewesen ....................................

Zeit sparen,
  hat gespart ....................................

aktuell ....................................

angenehm ....................................

appetitlich ....................................

aufgeräumt ....................................

entschieden ....................................

gemütlich ....................................

genervt ....................................

glücklich ....................................

höflich ....................................

interessant ....................................

modern ....................................

möglich ....................................

nötig ....................................

ordentlich ....................................

passend ....................................

positiv ....................................

pünktlich ....................................

romantisch ....................................

sauber ....................................

selbstständig ....................................

ständig ....................................

täglich / wöchentlich /
  jährlich / monatlich ....................................

tolerant ....................................

unerzogen ....................................

unverstanden ....................................

verrückt ....................................

vorsichtig ....................................

weltweit ....................................

zufrieden ....................................

gern ....................................

im Durchschnitt ....................................

nebenan ....................................

teilweise ....................................

was für ein- ....................................

# 11 | A | Er ist gerade **aus dem Haus** gegangen.

Wiederholung
*Schritte plus 2*
*Lektion 11*

**1** **Wo und wohin?**

**a** Ergänzen Sie *bei – in*.

● Wo bist du gerade?

| | | |
|---|---|---|
| **1** Bäcker: | *beim Bäcker* | Bäckerei Schulze: *in der Bäckerei Schulze* |
| **2** Metzger: | ............................. | Metzgerei: ............................. |
| **3** meine Oma: | ............................. | Parkstraße 18: ............................. |
| **4** Freunden: | ............................. | Schule: ............................. |

**b** Ergänzen Sie *zu – in*.

● Wohin gehst du jetzt?

| | | |
|---|---|---|
| **1** Bäcker: | *zum Bäcker* | Bäckerei Schulze: *in die Bäckerei Schulze* |
| **2** Metzger: | ............................. | Metzgerei: ............................. |
| **3** meine Oma: | ............................. | Parkstraße 18: ............................. |
| **4** Freunden: | ............................. | Schule: ............................. |

A2

**2** Woher kommst du? Ergänzen Sie *von – aus*.

● Woher kommst du gerade?

| | | |
|---|---|---|
| **1** Bäcker: | *vom Bäcker* | Bäckerei Schulze: *aus der Bäckerei Schulze* |
| **2** Metzger: | ............................. | Metzgerei: ............................. |
| **3** meine Oma: | ............................. | Parkstraße 18: ............................. |
| **4** Freunden: | ............................. | Schule: ............................. |

A3

**3** **Ergänzen Sie.**

**a** Die Katze von Herrn Lehmann springt *auf den* Tisch. Sie sitzt ............................. Tisch.
Sie springt ............................. Tisch.

**b** Herr Lehmann geht ............................. Arzt. Er ist ............................. Arzt. Er kommt
............................. Arzt.

**c** Herr Lehmann geht ............................. Kino. Er ist ............................. Kino. Er kommt
............................. Kino.

**d** Herr Lehmann steigt ............................. Bus. Er sitzt ............................. Bus.
Er steigt ............................. Bus.

## 4 Was ist richtig? Ordnen Sie zu.

☐ aus dem Supermarkt      ☐ vom Fußballplatz
☑ auf den Fußballplatz      ☐ in den Supermarkt
☐ zum Supermarkt      ☐ vom Supermarkt

## 5 Schreiben Sie.

Tankstelle • Bank • Friseur • Bäcker • Supermarkt

**a** ● Woher hast du denn das ganze Geld!    ■ *Ich komme gerade von der Bank.*

**b** ● Hast du Brötchen geholt?    ■ *Ja, ich komme gerade*

**c** ● Und hast du auch schon getankt?    ■ *Ja, ich*

**d** ● Der Kühlschrank ist ja voll!    ■

**e** ● Deine Haare sind ja so kurz!    ■

## 6 Was muss Werner tun? Schreiben Sie.

Schatz, bin heute nicht da!
Kümmerst du dich bitte um die Kinder?

Jana:
7:45 Uhr Schule
13 Uhr Schule aus
15 Uhr Geburtstagsfeier
     Claudia
ca. 18 Uhr Geburtstagsfeier Ende
vorher Pauli von Daniel abholen
Bussi! Martha

Pauli:
9 Uhr Kindergarten
14 Uhr Kindergarten aus
16 Uhr Daniel

*Um 7:45 muss er Jana in die Schule schicken. Um 9 Uhr muss er Pauli in den Kindergarten bringen. ...*

## 7 Notieren Sie im Lerntagebuch.
Schreiben Sie und zeichnen Sie.

 LERNTAGEBUCH

*Wo?*     *Wohin?*     *Woher?*

*meine Oma*

*bei meiner Oma*

*Haus*    *im Haus / zu Hause*
*schule*

 ▶ Portfolio

**B1** | **8** | **Wie sind die Kinder gelaufen? Bringen Sie die Sätze in die richtige Reihenfolge.**

☐ Dann sind sie um den Spielplatz herumgelaufen.

☐ Dann sind sie durch den Wald gelaufen.

☐ Jetzt sind sie gegenüber der Kirche.

☒ Erst sind sie am Fluss entlang bis zur Brücke gelaufen.

☐ Hinter dem Wald sind sie nach links gelaufen.

☐ Sie sind bis zum Spielplatz gelaufen.

☐ Dann sind sie über die Brücke gelaufen.

☐ Sie sind die Kirchstraße entlang gelaufen, am Bahnhof vorbei.

**B2** | **9** | **Was ist richtig? Markieren Sie.**

**a** ● Wohin fährst du denn? Du musst doch durch die / über die / unter die Brücke fahren.

**b** ■ Meinst du, man darf auf dem / über dem / gegenüber vom Supermarkt parken?

**c** ● Wo geht es denn hier zur Post?

■ Ganz einfach, Sie müssen nur unter die Postraße / die Postraße entlang / über der Postraße gehen.

**d** ● Darf man durch die / in der / über die Altstadt fahren, wenn man ins Zentrum möchte?

■ Nein, Sie können nur über die / auf die / bis zur nächsten Ampel fahren. Fahren Sie dort hoch / zurück / rechts. Dort ist das Altstadtparkhaus.

**e** ● Ich glaube, wir sind schon durch den / unter den / am Schillerplatz vorbeigefahren.

■ Dann musst du jetzt um die / auf die / an die Innenstadt herumfahren, dann kommen wir wieder zurück.

**B3** | **10** | **Der Weg ist falsch!**

**a** Sein Freund hat Franz den Weg aufgeschrieben. Wie muss Franz gehen?
Zeichnen Sie den Weg in die Karte.

> vor dem Bahnhof links
> an der Kreuzung am Supermarkt rechts
> nach der Ampel rechts
> durch den Stadtpark am Lambach-Ufer entlang
> bis zur Parkstraße, dort
> über die Brücke bis zur Kirche
> links um die Kirche herum
> hinter der Kirche links in den Kirchweg
> zweites Haus auf der linken Seite

**b** Wie ist Franz gegangen?
Schreiben Sie.

*Vor dem Bahnhof ist er rechts gegangen. ...*

**c** Wie kommt er jetzt zu seinem Freund? Schreiben Sie.
*Franz muss wieder zurück bis zur Ampel gehen. Dann ...*

**11** **Was darf man hier nicht machen? Schreiben Sie.**

Man darf nicht ...

**a** *über die Brücke fahren* ...........................................................................................................................................•
**b** ...........................................................................................................................................•
**c** ...........................................................................................................................................•
**d** ...........................................................................................................................................•
**e** ...........................................................................................................................................•

**12** **Wege in Ihrer Sprachschule**

**a** Wo ist/sind in Ihrer Sprachschule: die Cafeteria, die Toiletten, das Sekretariat, die Anmeldung, ...?
Machen Sie Notizen und raten Sie im Kurs.

> aus dem Klassenzimmer
> nach rechts, den Flur entlang,
> zweite Tür links ...

● Du gehst aus dem Klassenzimmer, dann nach rechts, den Flur entlang bis zur zweiten Tür.
Hier links und die Treppe hoch ... Was ist da?
■ Das Sekretariat!

**b** Wie kommt man von Ihrer Sprachschule: zum nächsten Geldautomaten, zum Bäcker, zum Kino,
zur Bushaltestelle, ...? Schreiben Sie.

C1

**13** **Was passt? Ordnen Sie zu.**

**a** Der Weg zu dir ist sehr weit.                  Ich gehe zur Bank.
**b** Mein Fahrrad ist kaputt.                            Ich lege mich ins Bett.
**c** Ich brauche noch Geld.                           Ich mache eine Pause.
**d** Ich möchte keine Übung mehr machen.    Ich bringe es in die Werkstatt.
**e** Ich möchte ein wenig schlafen.            Ich fahre mit der U-Bahn.

C1

**14** **Schreiben Sie die Sätze aus Übung 13 mit _deshalb_.**

**a** Der Weg zu dir ist sehr weit. _Deshalb fahre ich mit der U-Bahn_

**b** Mein Fahrrad ist kaputt. ...........................................................................

**c** Ich brauche noch Geld. ...........................................................................

**d** Ich möchte keine Übung mehr machen. ...........................................................................

**e** Ich möchte ein wenig schlafen. ...........................................................................

C3

**15** **Warum braucht man das?**

**a** Wie ist der Satz richtig? Ordnen Sie die Satzteile.

1 Man braucht eine gute Handbremse, ☒ man ☒ weil ☒ oft bremsen muss
2 Man braucht ein helles Vorderlicht, ☐ bei Nacht ☐ gut sehen muss ☐ man ☐ weil
3 Man braucht eine Luftpumpe, ☐ weil ☐ manchmal Luft brauchen ☐ die Reifen
4 Man braucht eine gute Klingel, ☐ man manchmal andere Radfahrer ☐ überholen muss ☐ weil
5 Man braucht gute Reifen, ☐ nicht ausrutschen darf ☐ man auf der Straße ☐ weil

Grammatik entdecken

**b** Schreiben Sie die Sätze neu mit _deshalb_ in die Tabelle.

| Satz 1 | | | Satz 2 | | |
|---|---|---|---|---|---|
| 1 _Man_ | _muss_ | _oft bremsen_ | _Deshalb_ | _braucht_ | _man eine gute Handbremse_ |
| 2 | | | | | |
| 3 | | | | | |
| 4 | | | | | |
| 5 | | | | | |

C3

**16** **Was ist richtig?**

**a** Ergänzen Sie _weil_ oder _deshalb_.

1 Der Bremsweg ist lang, ........................... die Reifen alt sind.

2 Die Reifen sind alt, ........................... muss man sie wechseln.

3 Ich bin so viel Fahrrad gefahren, ........................... bin ich jetzt ganz müde.

4 Mein Reifen hat keine Luft mehr, ........................... ich gestern über Glas gefahren bin.

Wiederholung
_Schritte plus 2_
_Lektion 14_
_Schritte plus 3_
_Lektion 1_

**b** Ergänzen Sie _weil_ oder _denn_.

1 Ich muss mir ein neues Rücklicht kaufen, ........................... es ist kaputt.

2 Man muss im Dunkeln mit Licht fahren, ........................... nur so ist man für die Autofahrer erkennbar.

3 Ich bringe mein Rad in die Werkstatt, ........................... das Licht kaputt ist.

4 Niemand hat mich gehört, ........................... die Klingel nicht funktioniert.

## 17 Schreiben Sie.

**a** Man kann die Klingel gut erreichen. Sie ist gut *erreichbar* .

**b** Man kann sie auch gut hören. Sie ist gut ............................................................................. .

**c** In dieser Fahrradkleidung kann man Sie gut erkennen. Sie sind gut ............................................ .

**d** Dieses Fahrrad ist nicht teuer. Ich kann es bezahlen. Es ist ...................................................... .

**e** Kann man dieses Fahrrad abschließen? Ist es ..................................................................................... ?

## 18 Aus dem Tagebuch eines Autos.

btraining

Was ist dem Auto Bodo heute passiert? Schreiben Sie.

> Samstag, 14. August
> Heute hat Paul spontan beschlossen, einen Ausflug mit mir zu machen.
> Denn das Wetter war einfach genial. Es war warm, es gab viel Sonne und
> ich war gut gelaunt. Zuerst hat Paul total viel in mich hineingepackt:
> Fahrrad, Picknickkorb, dann noch die Badesachen.
> Uff. Das war ganz schön schwer. Und dann ging es los. Wir sind ...

## 19 Hören Sie und sprechen Sie nach.

Phonetik
16

„pf"  Pflanze • Pfanne • Pfund • Apfel • Kopf • Topf

„kw"  bequem • Qualität • Quartett • Quadrat • Quiz

„ts"  Zentrum • Kreuzung • Benzin • Satz • Platz • Rätsel • Station • Lektion • international • Nationalität

„ks"  links • Kuckucksuhr • Taxi • Praxis • Text • wechseln • du fragst • du sagst • unterwegs • sonntags

## 20 *Apfel* und *Saft*. Was passt zusammen? Sprechen Sie.

Phonetik

| Apfel • Pfanne • Topf • Pfund • Pfeffer • Empfänger • Impfung • Kopf | Deckel • Saft • Absender • Salz • Schnitzel • Grippe • Gesicht • Kilo |

## 21 Man spricht „ts". Wie schreibt man?

Phonetik

Man spricht „ts" und schreibt ..*t (war -ion)*......., ............................, oder ...............................

## 22 Wo hören Sie „ks"? Kreuzen Sie an.

Phonetik
17

1. ☐    2. ☐    3. ☐    4. ☐    5. ☐    6. ☐

7. ☐    8. ☐    9. ☐    10. ☐    11. ☐    12. ☐

**D2** **23** **Ergänzen Sie die Wetterwörter.**

a *der Sturm* .......................... stürmisch

b .......................... regnerisch

c .......................... eisig

d .......................... gewittrig

e *die Wolke* .......................... wolkig

f .......................... neblig

g .......................... sonnig

h .......................... windig

**D2** **24** **Das Wetter**

a Wie ist das Wetter heute? Ergänzen Sie.

# Sommerlich ist's in der Mitte Deutschlands

starker Westwind • trocken • Sonne und Wolken • 17 Grad im Norden • Regenschauer mit Gewitter • gewittrige • 29 Grad im Süden

Heute gibt es an der Nordsee und an der Ostsee *Regenschauer mit Gewitter* ......... . Auch südlich der Donau sind noch einige .......................... Regenschauer dabei. Ansonsten wechseln sich .......................... .......................... ab, und es bleibt meistens .......................... Die Temperaturen: zwischen .......................... und .......................... . An den Küsten .......................... .

b Lesen Sie den Text und ergänzen Sie die Tabelle.

| Home | **Vorhersage** | Kontakt | Information |

**Vorhersage:**
In der Nacht hört der Regen in Norddeutschland langsam auf, es ist meist klar und trocken. Die Temperaturen sinken in ganz Deutschland auf zehn bis 15 Grad.
Am Dienstag gibt es vor allem in der Mitte und im Süden zunächst viel Sonnenschein, im Norddeutschen Tiefland jedoch mehr Wolken und einzelne Schauer oder Gewitter. Weiter südlich bleibt es auch nachmittags trotz einiger dickerer Wolken weitgehend freundlich und trocken. Die Temperaturen liegen bei 17 Grad im Norden und bei bis zu 29 Grad im Südwesten.

weiter ▶

| Wie wird das Wetter? | im Norden | in der Mitte | im Süden |
| --- | --- | --- | --- |
| heute Nacht | *weniger Regen klar und trocken 10-15 Grad* | | |
| am Dienstag | | | |

**25** Eine Wettervorhersage für Ihr Heimatland
Zeichnen Sie und schreiben Sie.

*Und nun die Wettervorhersage für Dienstag, den 28. Oktober. In Nordkroatien viele Wolken, ...*

**26** **Was bedeutet das? Ordnen Sie zu.**

| | | |
|---|---|---|
| a | hohes Verkehrsaufkommen | Man repariert die Straße. |
| b | Gegenstände auf der Fahrbahn | Alle können nur langsam fahren. |
| c | Bauarbeiten | Hier kann man die Straße nicht verlassen. |
| d | zäh fließender Verkehr | Es gibt viel Verkehr. |
| e | die Ausfahrt ist gesperrt | Die Baustelle gibt es nur heute. |
| f | Tagesbaustelle | Auf der Straße liegen Sachen herum. |

**27** **Hören Sie die Verkehrsmeldungen und ordnen Sie sie den Buchstaben a – e in der Karte zu.**

| | Buchstabe | | | Buchstabe |
|---|---|---|---|---|
| Meldung 1 | *b* | | Meldung 4 | |
| Meldung 2 | | | Meldung 5 | |
| Meldung 3 | | | | |

Schönow
DREIECK HAVELLAND
DREIECK ORANIENBURG
Falkensee
DREIECK PANKOW
DREIECK SCHWANBECK
Prenzlauer Chaussee
Hohenschönhausen
Berlin-Marzahn
Berlin Spandau
BERLIN
Berlin-Hellersdorf
Rüdersdorf
Potsdam Nord
Erkner
POTSDAM
Freienbrink
DREIECK WERDER
Teltow
Zernsdorf
DREIECK POTSDAM
DREIECK DREWITZ
SCHÖNFELDER KREUZ

**E1** **28** **Silbenrätsel. Ergänzen Sie.**

Am • Au • Aus • Bahn • den • ~~Fah~~ • Fahr • flug • Füh • hof • kar • kehr • lan • Mo • pa • Park • pel • platz • ra • Re • ren • rer • ~~rer~~ • schein • spa • spä • star • ~~Stau~~ • te • ten • to • tor • tung • tur • ver • Ver • zie

1 Gräfin von Kerner fährt nicht selbst Auto. Sie hat einen *Fahrer*...............................

2 Wenn man Auto fahren will, muss man zuerst den ............................................. machen.

3 Bei uns gibt es noch einen ......................................... , aber es halten dort keine Züge mehr.

4 Rot, gelb und grün – das sind die Farben bei einer .......................................... .

5 „Achtung Autofahrer: Auf der A9 Richtung Berlin vor dem Schkeuditzer Kreuz zehn Kilometer *Stau*.................................. nach einem Unfall."

6 Bus: anhalten = Flugzeug: .........................................

7 „Ich komme mit dem Auto. Gibt es vor Ihrem Hotel einen ...........................................?"

8 „Das Wetter ist so schön. Komm, lass uns ein bisschen ......................................... gehen."

9 „Liebe Fahrgäste, unser ICE hat im Moment 13 Minuten ........................................ ."

10 Wenn man .......................................... fahren will, braucht man einen Führerschein.

11 Das Gegenteil von „landen" ist ......................................... .

12 Ich möchte mal wieder einen ......................................... in den Zoo machen.

13 Wenn man mit dem Zug fahren möchte, muss man zuerst eine ........................................... kaufen.

14 Zwischen 8 und 9 Uhr fahren die meisten Leute zur Arbeit. Um diese Uhrzeit ist der Berufs-......................................... am stärksten.

15 Das Auto hat einen ......................................... , das Fahrrad nicht.

16 Mein Auto ist schon wieder kaputt! Ich glaube, die .......................................... wird ziemlich teuer.

**E3** **29** **Was passt? Kreuzen Sie an.**

| | nehmen | fliegen | umsteigen | fahren | einsteigen | gehen | aussteigen |
|---|---|---|---|---|---|---|---|
| **a** mit dem Flugzeug | | x | | | | | |
| **b** in den Zug | | | | | | | |
| **c** am Goetheplatz | | | | | | | |
| **d** aus dem Bus | | | | | | | |
| **e** das Fahrrad | | | | | | | |
| **f** zu Fuß | | | | | | | |
| **g** mit dem Schiff | | | | | | | |
| **h** spazieren | | | | | | | |
| **i** über die Brücke | | | | | | | |
| **j** über Traunstadt | | | | | | | |

**30** **Besuch in Traunstadt. Hören Sie das Gespräch.**

Antonio ist zwei Tage zu Besuch bei seinem Freund Michael in Traunstadt und möchte sich die Stadt ansehen. Leider muss Michael arbeiten und kann nicht mitgehen. Er sagt ihm, was er in Traunstadt sehen kann und erklärt ihm den Weg.

Zu diesem Gespräch gibt es fünf Aufgaben. Was sagt Michael seinem Freund?
Wo sind die Gebäude und Plätze? Ordnen Sie zu und notieren Sie den Buchstaben.
Hören Sie das Gespräch zweimal.

| | 0 | 1 | 2 | 3 | 4 | 5 |
|---|---|---|---|---|---|---|
| Gebäude/Ort | Stadttheater | Michaelikirche | Rathaus | Stadtmuseum | Stadtpark | Parkcafé |
| Lösung | a | | | | | |

**a** in der Fußgängerzone links      **f** rechts vom Stadtmuseum
**b** hinter dem Bahnhof      **g** am Anfang der Rathausgasse
**c** in der Mitte vom Marktplatz      **h** am Ende der Rathausgasse
**d** links von der Kirche      **i** in der Kirchgasse
**e** hinter der Kirche      **j** im Stadtpark

**31** **Deutschlandreise**

■ Planen Sie eine Reise durch Deutschland. Starten Sie in Ihrer Stadt.
  Fahren Sie in alle 13 Bundesländer und in die 3 Stadtstaaten Berlin, Hamburg und Bremen.
  Besuchen Sie auf Ihrer Reise alle Hauptstädte.

■ Entscheiden Sie, ob Sie den Zug, das Auto oder das Flugzeug nehmen. Arbeiten Sie mit einem
  Routenplaner / den Informationsseiten der Bahn im Internet.

■ Stellen Sie Ihre Route im Kurs vor. Welche Gruppe hat die kürzeste, die schnellste,
  die billigste oder die schönste Route?

## Fahrrad und Auto

(Fahrrad)Helm
  der, -e .......................................................

Batterie die, -n .......................................................

Benzin das .......................................................

Bremse die, -n .......................................................

Bremsweg der, -e .......................................................

Klingel die, -n .......................................................

Luftpumpe die, -n .......................................................

Panne die, -n .......................................................

Reifen der, - .......................................................

Rücklicht das, -er .......................................................

Tankstelle die, -n .......................................................

Vorderlicht das, -er .......................................................

Wagen der, - .......................................................

Werkstatt die, -en .......................................................

## Im Straßenverkehr

Ausfahrt, die, -en .......................................................

Autobahn die, -en .......................................................

Baustelle die, -n .......................................................

Brücke die, -n .......................................................

Bürgersteig der, -e .......................................................

Einbahnstraße die, -n .......................................................

Fahrbahn die, -en .......................................................

Falschfahrer der, - .......................................................

Fluss der, -̈e .......................................................

Flussufer das, - .......................................................

Fußgänger der, - .......................................................

Hauptbahnhof der, -̈e .......................................................

Kreisverkehr der .......................................................

Kreuzung die, -en .......................................................

Stau der, -s .......................................................

Störung die, -en .......................................................

U-Bahn die, -en .......................................................

Verkehr der .......................................................

(öffentliche) Verkehrs-
  mittel das, - .......................................................

(Verkehrs-)Regel
  die, -n .......................................................

(Verkehrs-)Teilnehmer
  der, - .......................................................

Zentrum das, Zentren .......................................................

ab·biegen,
  ist abgebogen .......................................................

bremsen,
  hat gebremst .......................................................

ein·parken,
  hat eingeparkt .......................................................

Gas geben, gibt Gas,
  hat Gas gegeben .......................................................

herum·fahren,
  fährt herum,
  ist herumgefahren .......................................................

stürzen, ist gestürzt .......................................................

tanken, hat getankt .......................................................

überholen,
  hat überholt .......................................................

gesperrt .......................................................

## Wetter

Gewitter das, - .......................................................

Nebel der, - .......................................................

Schnee der .......................................................

Sonnenschein der .......................................................

Sturm der,, -̈e .......................................................

Wetterbericht der, -e .......................................................

dicht .......................................................

eisig .......................................................

| gewittrig | ............................... | nass | ............................... |
| glatt | ............................... | neblig | ............................... |
| kräftig | ............................... | regnerisch | ............................... |
| kühl | ............................... | stürmisch | ............................... |
| | | wolkig | ............................... |

## Den Weg beschreiben

| bis zu | ............................... | geradeaus | ............................... |
| durch | ............................... | um ... herum | ............................... |
| ... entlang | ............................... | vorbei ... an | ............................... |

## Weitere wichtige Wörter

| Aussicht die, -en | ............................... | verhindern, hat verhindert | ............................... |
| Bürgermeister der, - | ............................... | verletzen (sich), hat sich verletzt | ............................... |
| Daten die (Pl.) | ............................... | vorbei lassen, lässt vorbei, hat vorbei gelassen | ............................... |
| Einwohner der, - | ............................... | | |
| Ferien die (Pl.) | ............................... | wechseln, hat gewechselt | ............................... |
| Landung die, -en | ............................... | | |
| Nagel der, ⸚ | ............................... | erkennbar | ............................... |
| Start der, -s | ............................... | erreichbar | ............................... |
| Wiese die, -n | ............................... | komplett | ............................... |
| Zukunft die | ............................... | nördlich/südlich/ westlich/östlich | ............................... |
| Angst haben, hat Angst gehabt | ............................... | rücksichtslos | ............................... |
| auf·haben, hat auf, hat aufgehabt | ............................... | schrecklich | ............................... |
| erkennen, hat erkannt | ............................... | umgekehrt | ............................... |
| fest·stellen, hat festgestellt | ............................... | wütend | |
| landen, ist gelandet | ............................... | bereits | ............................... |
| los sein, ist los gewesen | ............................... | deshalb | ............................... |
| nerven, hat genervt | ............................... | sonst | ............................... |
| schützen, hat geschützt | ............................... | richtig (schnell ...) | ............................... |
| starten, ist gestartet | ............................... | weder ... noch | ............................... |
| | | wegen | ............................... |

Wiederholung
*Schritte plus 4*
*Lektion 11*

**1** **Ergänzen Sie.**

bei • von • aus • vom • aus der • in • zu • aus dem • nach • zum • ins • beim • in der • im • in die

| **Wo?** | **Wohin?** | **Woher?** |
|---|---|---|
| Sie ist … | Sie fährt … | Sie kommt … |
| **a** ......*in*.................. Italien. | ................................. Italien. | ................................. Italien. |
| **b** ................................. Schweiz. | ................................. Schweiz. | ................................. Schweiz. |
| **c** ................................. Kino. | ................................. Kino. | ................................. Kino. |
| **d** ................................. Claudia. | ................................. Claudia. | ................................. Claudia. |
| **e** ................................. Arzt. | ................................. Arzt. | ................................. Arzt. |

Wiederholung
*Schritte plus 4*
*Lektion 11*

**2** **Was ist richtig? Markieren Sie.**

**a** ▲ Ich fahre jetzt mit dem Auto nach dem/zum Bahnhof. Soll ich dich mitnehmen?
▼ Vielen Dank, aber ich muss zuerst noch zu/bei meiner Mutter. Sie wohnt auf/in der Maistraße. Da kann ich den Bus nehmen.

**b** ■ Ich muss heute Nachmittag nach dem/zum Arzt.
● Ach, ich habe gedacht, dass du gestern schon beim/im Arzt warst.
■ Nein, er hatte gestern keinen Termin mehr frei.

**c** ■ Fahrt ihr dieses Jahr im Urlaub wieder nach/in Italien?
▼ Nein, wir waren doch letztes Jahr in/nach Rom. In diesem Sommer wollen wir nach/in die Türkei.

**d** ■ Wir gehen heute Abend zum/ins Kino. Kommst du mit?
▼ Ich kann leider nicht. Ich fahre zu/bei meiner Freundin. Sie ist krank.

**A1**

**3** **Ergänzen Sie.**

die Wüste • der Berg • der See • die Insel • der Osten • der Strand • die Küste • das Meer • das Gebirge • der Norden • der Wald

**A**
1 ............... 2 ............... 3 ...............
4 ............... 5 ...............

**B**
6 ...............
7 ............... 8 ...............

**C**
9 ............... 10 ...............
11 *die Wüste* ...............

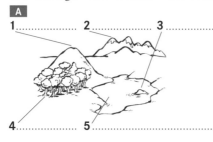
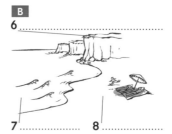
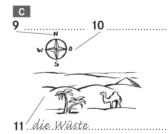

**A2**

**4** **Urlaubsziele**

**a** Wann sagt man *auf – an – in*? Ergänzen Sie und ordnen Sie zu.
der Rhein • der Titisee • die Insel • der Strand • das Meer • das Gebirge • die Berge • die Wüste • das Land • der Schwarzwald • der Süden

**1** .*an*.........

**2** .................

**3** .................

*der Rhein, …* … …

**b** Was ist richtig? Kreuzen Sie an.

| | | Wo? | Wohin? |
|---|---|---|---|
| 1 | Im Urlaub fahren wir | ☐ am Titisee. | ☐ an den Titisee. |
| 2 | Am Samstag waren wir | ☐ im Gebirge. | ☐ ins Gebirge. |
| 3 | Ich war noch nie | ☐ in der Wüste. | ☐ in die Wüste. |
| 4 | Am liebsten fliegen wir | ☐ in dem Süden. | ☐ in den Süden. |
| 5 | Gehen wir jetzt endlich | ☐ an dem Strand? | ☐ an den Strand? |
| 6 | Es war sehr windig | ☐ an der Atlantikküste. | ☐ an die Atlantikküste. |

## 5 Woher kommen die Personen? Ordnen Sie zu.

| | | Bild | | | Bild |
|---|---|---|---|---|---|
| **a** | Er kommt aus der Wüste. | ☑ | **d** | Sie kommen vom See. | ☐ |
| **b** | Er kommt aus den Bergen. | ☐ | **e** | Er kommt vom Strand. | ☐ |
| **c** | Sie kommen aus dem Wald. | ☐ | **f** | Er kommt von der Insel. | ☐ |

## 6 Ergänzen Sie.

| | Sie ist … (**wo?**) | Sie geht/fährt … (**wohin?**) | Sie kommt gerade … (**woher?**) |
|---|---|---|---|
| **a** | *am* ......... Meer. | *ans* ......... Meer. | *vom* ......... Meer. |
| **b** | ............... Wüste. | ............... Wüste. | ............... Wüste. |
| **c** | ............... Küste. | ............... Küste. | ............... Küste. |
| **d** | ............... Insel. | ............... Insel. | ............... Insel. |
| **e** | ............... Berlin. | ............... Berlin. | ............... Berlin. |
| **f** | ............... Türkei. | ............... Türkei. | ............... Türkei. |
| **g** | ............... Chiemsee. | ............... Chiemsee. | ............... Chiemsee. |
| **h** | ............... Strand. | ............... Strand. | ............... Strand. |
| **i** | ............... Gebirge. | ............... Gebirge. | ............... Gebirge. |
| **j** | ............... Wald. | ............... Wald. | ............... Wald. |

**A3**    **7**    **Ergänzen Sie.**

nach ● auf ● im ● nach ● am ● im ● aus ● zum ● ans ● vom

*Liebe Sigi,*

*wir sind jetzt ......auf...... Ibiza. Die Insel liegt südlich von Mallorca. Florian wollte ja eigentlich*
*wieder ................ Finnland fahren, aber mir ist es da zu kalt. Ich will immer ................ Meer und*
*................ warmen (!!!) Wasser schwimmen. Unser Hotel liegt ganz nah ................ Meer. Wir gehen*
*nur fünf Minuten ................ Strand. Traumhaft! Immer, wenn wir abends ................ Strand kommen,*
*haben wir großen Hunger. Wie gut, dass es ein Restaurant ................ Hotel gibt! Gestern haben wir*
*eine lange Wanderung gemacht und sind erst spät abends ................ den Bergen zurückgekommen.*
*Ich war total müde! Leider fliegen wir morgen schon wieder zurück ................ Frankfurt.*
*Herzliche Grüße*
*Brigitte*

**A3**    **8**    **Ergänzen Sie.**

ins ● im ● aus ● ins ● zu ● bei ● von ● am ● auf

Hallo Ina,
gestern sind wir *aus*.......... Spanien zurückgekommen. Wir haben dort ................
meiner spanischen Freundin Ines gewohnt. Es war wunderbar! Den ganzen Tag
waren wir ................ Strand, sind ................ Meer geschwommen. Einmal haben wir
einen Ausflug gemacht und sind ................ eine Insel gefahren. Als wir ................ der
Insel zurückgefahren sind, ist auf einmal ein großes Gewitter gekommen. Wir sind
klitschnass ................ Hause angekommen. Das war aufregend! Ab morgen muss ich
nun wieder ................ Büro. Puh! Wir wollten doch mal zusammen ................ Gebirge
zum Wandern gehen!? Gehen wir am Samstag?
Viele Grüße
Christine

**A3**    **9**    **Wo waren Sie schon? Wohin möchten Sie gern fahren? Schreiben Sie.**

Sehen Sie sich die Landkarte von Deutschland, Österreich und der Schweiz am Anfang des Buches an.

*Ich war schon einmal an der Nordsee. Das war toll! Wir haben ...*
*Ich würde gern einmal ... fahren.*

**A3**    **10**    **Ergänzen Sie.**

windig ● heiß ● anstrengend ● kalt ● langweilig ● gefährlich

**a**    ■ Na, wie war euer Urlaub in Dänemark?

     ▼ Die Landschaft dort ist wunderschön, aber wir hatten Pech mit dem Wetter. Es war
       *kalt*............................... und am Meer immer ein bisschen ................................... .

**b**    ■ Im Urlaub in den Dschungel? Das ist doch ................................... ! Hast du da keine Angst?

**c**    ● Mit Gert gehe ich nicht mehr in die Berge zum Wandern. Der geht vier Stunden ohne Pause
       den Berg hoch. Das ist mir viel zu ................................... .

**d**    ▲ Ihr fahrt im August nach New York? Da hat es doch tagsüber mindestens 35°C!
       Das ist mir viel zu ................................... . Ich fahre lieber ans Meer.

     ● Aber den ganzen Tag am Strand liegen, das ist mir zu ................................... .

## 11 Ergänzen Sie.

**A** **Urlaub auf dem Bauernhof:** Ruhig.... Lage, schön.*er*.... Spielplatz, kinderlieb..*e*.... Tiere, mit viel....... Freizeitmöglichkeiten. Jede Wohnung mit eigen....... Bad und mit eigen....... Küche. Tel.: 0171/53367921

**B** **Schön.......** **Ferienwohnungen** zu vermieten! Wir bieten modern....... Wohnungen (1–3 Zimmer) in ruhig....... Lage am See. Im Juni und Juli noch frei. Tel.: 02843/6246

**C** **Groß.......** **Zelt** für 4-6 Personen zu verkaufen. Tel.: 0179/733667

**D** Von Privat: **Ruhig.*es*.** **Ferienhaus im Schwarzwald**
**Genießen Sie:**
- Urlaub ohne laut....... Verkehr
- Schön....... Landschaft
- 4 groß....... Zimmer mit schön....... Blick auf die Berge
- Gut....... Essen

## 12 Tragen Sie Beispiele aus Übung 11 in die Tabelle ein.

| (der) | (das) | (die) | (die) |
|---|---|---|---|
| *schöner*......... Spielplatz | ................... Haus | ................... Lage | ................................ Tiere |
| ohne ..................... Verkehr | ................... Zelt | ................... Landschaft | ................... Wohnungen |
| mit ........................... Blick | mit ................... Bad | mit ................... Küche | mit .................................... Freizeitmöglichkeiten |

## 13 Ergänzen Sie.

**a** Suche klein............ Zelt für 2 Personen.

**b** Günstig............ Ferienwohnung mit groß............ Balkon und groß............ Küche auf Bauernhof für tierlieb............ Familie noch frei.

**c** Suche ruhig............ Unterkunft in günstig............ Pension oder bei nett............ Familie vom 17.7.–24.7.

**d** Klein............ Hotel mit ruhig............ Zimmern in historisch............ Zentrum von Rom. Zimmer ab 79 € pro Nacht.

der Balkon
die Familie
die Unterkunft
die Pension
das Hotel
das Zimmer
das Zentrum

## 14 Hilfe! Mein Keller ist voll!

Sie möchten einige Dinge verkaufen, weil Sie sie nicht mehr brauchen. Schreiben Sie Kleinanzeigen.

Zu verkaufen: Kleines Zelt für 2 Personen für nur 50 Euro

**a** Zelt (klein) für 2 Personen für nur 50 €
**b** Kamera (mechanisch)
**c** Sofa mit zwei Sesseln (weiß – bequem), nur 295 €
**d** Puppe mit Kleidung (alt – schön)
**e** Anzug (elegant) für 99 €

Wiederholung
Schritte plus 2
**15** **Ergänzen Sie *am – um – im – bis – von ... bis – für*.**

a ■ Wann ist denn das Reisebüro geöffnet? Weißt du das?

● Ja, Montag ............ Freitag ............ 10 Uhr ........... 18.30 Uhr

und ............ Samstag, glaube ich, schließen sie .......... 14 Uhr.

b ▼ Ich möchte bitte ein Doppelzimmer reservieren.

▲ Ja gern, wann brauchen Sie das Zimmer?

▼ ............. Freitag.

▲ Und für wie lange?

▼ ............ Montag früh, also ............. drei Nächte.

c ● Wann machst du denn dieses Jahr Urlaub?

▲ Leider erst ............. Herbst, wahrscheinlich ............. Oktober.

d ■ Wann hat denn Inge Geburtstag?

● ............. 13. Februar.

Wiederholung
Schritte plus 2
**16** **Ergänzen Sie *vor – seit – nach*.**

a ■ Wie lange wartest du denn schon? – ● ..................... zehn Minuten.

b ▼ Wann hat denn Frau Suter angerufen? – ■ ..................... ungefähr einer Stunde.

c ▼ Was machst du heute noch? – ▲ ..................... dem Unterricht fahre ich erst einmal nach Hause.

d ▲ Wann gehst du immer joggen? – ● Frühmorgens ..................... der Arbeit.

e ● Wie lange leben Sie schon in Deutschland? – ■ ..................... zwei Jahren.

C2

**17** **Reisen. Was ist richtig? Markieren Sie.**

a ■ Kann ich Ihnen helfen?

● Ja, ich möchte bitte einen Flug nach Berlin mit Hotel ab / für zwei Nächte buchen.

■ Da gibt es Flüge von / ab 99 €. Außerdem kann ich Ihnen ein sehr schönes kleines Hotel

im Zentrum empfehlen. Dort kostet die Nacht im Einzelzimmer 79 € für / ohne Frühstück.

b ▼ Na, wie war denn euer Urlaub?

▲ Sehr schön, aber die Reise war sehr anstrengend. Erst hatte unser Flug ab / über drei Stunden

Verspätung. Deshalb haben wir das Schiff verpasst. Und du weißt, von / bis Oktober an fahren

die Schiffe nicht mehr so oft. Wir mussten über / für vier Stunden am Hafen warten!

C3

**18** **Im Reisebüro. Welche Antwort passt? Ordnen Sie zu.**

a Ich möchte gern nach Rügen fahren.
Haben Sie da ein günstiges Angebot?

b Für wie viele Personen bitte?

c Wann möchten Sie denn fahren?

d Wie lange dauert die Zugfahrt?

e Soll ich Sitzplätze reservieren?

1 Vom 3.6. bis 19.6.

2 Ja, das würde ich Ihnen empfehlen.

3 Für meine Frau und mich.

4 Ja, schauen Sie mal bitte hier
in unseren Katalog.

5 Ungefähr acht Stunden.

## 19   Ordnen Sie zu und schreiben Sie.

Wofür interessierst du dich? ● Wir könnten … fahren. ● Bitte komm mich doch besuchen! Ich würde mich sehr freuen! ● Möchtest du gern …? ● Ich könnte dir … zeigen. ● Hast du Lust auf einen Besuch in …? ● Du bist herzlich eingeladen. ● Was möchtest du gern machen? ● Hier kannst du auch … besichtigen. ● Ich möchte dich gern in meine Stadt / mein Dorf einladen.

| jemand einladen | Vorschläge machen | nach Wünschen fragen |

*Du bist herzlich eingeladen.*      …      …

## 20   Was passt? Ordnen Sie zu.

Sie möchten einen Freund in Ihre Stadt / Ihr Dorf einladen. Was kann man dort gemeinsam machen?

Man kann …

| an einen | Museum | gehen |
| mit dem | Schiff | fahren |
| ins | Ausflug | fahren |
| einen | Kino | machen |
| ins | See | gehen |

## 21   Hier gibt es ein paar Fehler. Schreiben Sie die Postkarte richtig.

*Lieber Maria,*

*Wie geht es Dir? Ich denke oft an Dir. Deshalb möchte ich Dich zu Wien einladen. Hier können wir viele schöne Sachen zusammen machen: auf den Neusiedler See fahren, ins Nationalmuseum gehen oder Schloss Schönbrunn schauen. Natürlich es gibt auch viele wunderschöne Kaffeehäuser in Wien. Du trinkst doch so gern Kaffee! Ich werde mich wirklich über einen Besuch von Dich freuen!*

*Viele Grüßen*
*Angela*

*Liebe.............................*
.............................
.............................
.............................
.............................
.............................
.............................
.............................

training

## 22   Antworten Sie auf die Postkarte aus Übung 21.

Dank für Einladung: komme gern ● noch nie in Wien ● Schloss besichtigen und Schiff fahren: super ● auch Kaffeehäuser ● Schwester mitkommen?

*Liebe Angela,*
*vielen Dank für Deine Karte. Ich habe mich sehr darüber gefreut.*
*Natürlich …*

*…*

*…*
*Also, dann bis bald in Wien.*
*Herzliche Grüße*
*Maria*

training

## 23   Antworten Sie auf die Postkarte aus Übung 21.

Bedanken Sie sich für die Einladung. Leider haben Sie jetzt keine Zeit, weil Sie gerade eine neue Arbeit gefunden haben. Laden Sie Angela in Ihren Kursort ein.

**D3** Projekt **24** Einen Ausflug planen

**Welche Ausflugsmöglichkeiten gibt es an Ihrem Kursort oder in der Umgebung für ältere Menschen, für junge Leute, für Familien?**

Arbeiten Sie in Kleingruppen und sammeln Sie Informationen, Prospekte, Postkarten … Machen Sie dann zusammen eine Wandzeitung. Diskutieren Sie die Vorschläge und wählen Sie das beste Ausflugsziel.

**D3** Phonetik **25**
**CD3** 20

**Sehen Sie die Wörter an. Hören Sie dann und achten Sie auf die betonten Wörter. Was hören Sie? Markieren Sie.**

Apartmenthotel • Boot • Ferienwohnungen • Preis • zwei oder drei Apartments • ab 15 Euro • Mecklenburgische Seenplatte • seltene Vögel • Auto mieten • von See zu See • Zwei- und Drei-Zimmer-Apartments • ohne Lärm • ohne Autos • Natur und Ruhe • alle Zimmer mit Balkon • modern und gemütlich • sehr groß

**D3** Phonetik **26**
**CD3** 21

**Elternabend**

**a** Lesen Sie die Information zum Schulausflug. Hören Sie dann und machen Sie sich Notizen.

**Schulausflug der Klasse 3 b**

| | |
|---|---|
| **Wann?** | Donnerstag, 25. Juni |
| **Wohin?** | Burg Rotteck und Abenteuerspielplatz |
| **Abfahrt** | 8:10 Uhr Bahnhof |
| **Rückkehr** | 16:20 Uhr |
| **Kosten** | 4 Euro (Bahnfahrt und Eintritt) |

- - - - - - - - - - - - - - - - - - - - - - - - - - - - - - - - ✂

**Mein Kind nimmt am Schulausflug teil.**

...........................................................
(Unterschrift)

*mit Klasse 3a, Eltern mitfahren Abschnitt bis … .*

**b** Erzählen Sie zu Hause vom Elternabend.

**D3** Phonetik **27**

**Lesen Sie die Texte. Markieren Sie die Betonung ╱ ‿ , die Satzmelodie → ↘ und die Pausen | ‖ .**

**a** Rheinreise ↘ |
Ich ságe: → Eins. ↘ |
Vorbéi an Mainz. ↘ ‖
Ich ságe: → Zwéi. ↘ |
An Kaub vorbéi. ↘ ‖
Ich ságe dréi: → |
Die Loreléy. ↘ ‖
Ich sage vier:
In Köln ein Bier.
Ich sage überhaupt
nichts mehr.
Ich staune nur:
Da ist das Meer.

**b** Die Ameisen
In Hamburg leben zwei Ameisen,
Die wollen nach Australien reisen.
Bei Altona auf der Chaussee,
Da tun ihnen schon die Beine weh,
Und da verzichten sie weise
Dann auf den letzten Teil der Reise.

*Text leicht verändert.*
*Original siehe Quellenverzeichnis.*

**CD3** 22 **Hören Sie und vergleichen Sie.**

**28** **Woran denken Sie bei ...? Ordnen Sie zu.**

fit sein • Museen besichtigen • faul sein • wilde Natur • ein Schloss besichtigen • Tennis spielen • am Strand liegen • täglich joggen • durch die Wüste fahren • im Gebirge wandern • Dschungel • verrückte Leute • kein Stress • einen Tauchkurs/Surfkurs machen • Radtour im Gebirge

**a** Abenteuerurlaub: ..................................................................................................................................

**b** Kulturuurlaub: ......................................................................................................................................

**c** Erholungsurlaub: .................................................................................................................................

**d** Sporturlaub: *fit sein,* ..........................................................................................................................

**29** **Urlaub. Lesen Sie und kreuzen Sie an: Richtig oder falsch?**

### Mit dem Fahrrad um die ganze Welt

Von ihrer Weltreise auf dem Fahrrad zurückgekehrt sind Peter und Sylvia Uhlmann. Der Bürgermeister, viele Freunde und Verwandte begrüßten sie gestern Nachmittag im Rathaus von Günzburg. „Wir sind glücklich, dass wir wieder gesund zu Hause angekommen sind. Aber wir würden sofort wieder so eine Reise machen", sagten die beiden. „In ein paar Jahren wollen wir wieder mit dem Fahrrad aufbrechen, aber dann nur durch einen Kontinent. Das wird Südamerika sein. Bis dahin müssen wir aber noch ein bisschen arbeiten und Geld verdienen."

|  | richtig | falsch |
|---|---|---|
| **a** Peter und Sylvia sind mit dem Fahrrad um die ganze Welt gefahren. | ☐ | ☐ |
| **b** Sie machen sofort wieder eine Weltreise. | ☐ | ☐ |
| **c** Nächstes Jahr fahren sie nach Südamerika. | ☐ | ☐ |

**30** **Notieren Sie im Lerntagebuch: Lernen mit allen Sinnen.**

Das Meer, die Stadt, das Land … Was gibt es dort? Wie sieht es dort aus? Wie riecht es? Wie fühlen Sie sich dort? Welche Erinnerungen haben Sie? Wann und wo waren Sie schon dort? Was haben Sie erlebt?

Suchen Sie auch Wörter im Wörterbuch. Schreiben Sie.

LERNTAGEBUCH

blau, …   salzig, …

*das Meer*

ruhig, …   …

Woran denke ich?
…

Wie fühle ich mich?
ruhig, …

Wann + Wo?
…

▸ Portfolio

Prüfung
23

**31** **Radiodurchsagen. Was ist richtig? Hören Sie und kreuzen Sie an.**

Sie hören drei Informationen aus dem Radio. Zu jedem Text gibt es eine Aufgabe.
Kreuzen Sie an. Sie hören jeden Text einmal.

**a** Wie wird das Wetter in Norddeutschland morgen?
☐ Sonnig.   ☐ Regnerisch.   ☐ Stürmisch.

**b** Was soll Herr Reimer machen?
☐ Sofort nach Hause fahren.   ☐ Seine Mutter anrufen.   ☐ Seine Frau anrufen.

**c** Worauf sollen die Autofahrer auf der Autobahn zwischen München und Lindau aufpassen?
☐ Es ist neblig.   ☐ Ein Falschfahrer ist unterwegs.   ☐ Es gibt ein Tier auf der Autobahn.

## Regionen und Landschaften

| | | | |
|---|---|---|---|
| Alpen die (Pl.) | ......................... | Landschaft die, -en | ......................... |
| Atlantik der | ......................... | Nord-/Ostsee die | ......................... |
| Berg der, -e | ......................... | Panorama das, -men | ......................... |
| Blick der, -e | ......................... | Region die, -en | ......................... |
| Dschungel der, - | ......................... | Strand der, ¨e | ......................... |
| Groß-/Kleinstadt die, ¨e | ......................... | Umgebung die, -en | ......................... |
| Insel die, -n | ......................... | Welle die, -n | ......................... |
| Küste die, -n | ......................... | Wüste die, -n | ......................... |

## Unterkunft

| | | | |
|---|---|---|---|
| Apartment das, -s | ......................... | Pension die, -en | ......................... |
| Aufenthalt der, -e | ......................... | Unterkunft die, ¨e | ......................... |
| Doppel- | ......................... | WC das, -s | ......................... |
| Doppelzimmer das, - | ......................... | Zelt das, -e | ......................... |
| Einzel- | ......................... | | |
| Einzelzimmer das, - | ......................... | ausgebucht | ......................... |
| Ferienwohnung die, -en | ......................... | frei | ......................... |
| Lage die, -n | ......................... | (kinder-/familien-) freundlich | ......................... |

## Ferien/Urlaub

| | | | |
|---|---|---|---|
| Abenteuer das, - | ......................... | begleiten, hat begleitet | ......................... |
| Begleiter der, - | ......................... | faulenzen, hat gefaulenzt | ......................... |
| Boot das, -e | ......................... | genießen, hat genossen | ......................... |
| Camping das | ......................... | surfen, hat gesurft | ......................... |
| Campingplatz der, ¨e | ......................... | tauchen, hat getaucht | ......................... |
| Erholung die | ......................... | wandern, ist gewandert | ......................... |
| (Flug)Gesellschaft die, -en | ......................... | | |
| Passagier der, -e | ......................... | | |

## Etwas beschreiben

| | | | |
|---|---|---|---|
| anstrengend | ............................ | ideal | ............................ |
| einsam | ............................ | (un)kompliziert | ............................ |
| giftig | ............................ | leer | ............................ |
| (gut/schlecht) gelaunt | ............................ | neugierig | ............................ |
| heiß | ............................ | trocken | ............................ |
| | | wild | ............................ |

## Weitere wichtige Wörter

| | | | |
|---|---|---|---|
| Handtuch das, ¨er | ............................ | beobachten, hat beobachtet | ............................ |
| Höhe die, -n | ............................ | dafür/dagegen sein, ist gewesen | ............................ |
| Jahreshälfte die, -n | ............................ | ein·fallen, fällt ein, ist eingefallen | ............................ |
| Laune die, -n | ............................ | einigen (sich), hat sich geeinigt | ............................ |
| Liebe die | ............................ | gründen, hat gegründet | ............................ |
| Paradies das, -e | ............................ | stinken, hat gestunken | ............................ |
| Sorge die, -n | ............................ | verleihen, hat verliehen | ............................ |
| Spielplatz der, ¨e | ............................ | verbringen, hat verbracht | ............................ |
| Übernachtung die, -en | ............................ | | |
| Verleih der | ............................ | | |
| Vogel der, ¨ | ............................ | ab (September) | ............................ |
| Wärme die | ............................ | an erster Stelle | ............................ |
| auf·bauen, hat aufgebaut | ............................ | von ... an | ............................ |
| (einen Termin) aus·machen, hat ausgemacht | ............................ | über (vier Stunden) | ............................ |
| bauen, hat gebaut | ............................ | | |

**A2**

**1** **Ergänzen Sie.**

Geldautomat • Bankkarte • Bank • Geld abheben • Kontoauszug • Konto

**a** Da steht der .*Geldautomat*................ . Hier können Sie Geld bekommen, wenn die ............... zu ist.

**b** Wenn man Geld von der Bank holt, nennt man das auch ........................................... .

**c** Dazu braucht man bei der Bank ein ................................... und eine ................................... .

**d** Auf dem ................................... steht, wie viel Geld man auf seinem Konto hat.

**A2**

**2** **Was fragen die Personen? Schreiben Sie.**

> Entschuldigung, können Sie mir sagen, wo der Bus nach Durlach abfährt?

**a** .*Wo fährt der Bus nach Durlach ab?*.....

▲ Und kannst du schon sagen, wie alt du bist?　　**b** .*Wie alt*.............................

▲ Sag mir jetzt bitte, wann du nach Hause kommst.　　**c** .............................

▲ Weißt du, wie viel Geld wir noch haben?　　**d** .............................

▲ Entschuldigung, wissen Sie, wie lange der Film dauert?　　**e** .............................

▲ Ich frage mich die ganze Zeit, was dieses Wort bedeutet.　　**f** .............................

▲ Sagst du mir bitte, wo du das gefunden hast?　　**g** .............................

**A2**
Grammatik
entdecken

**3** **Markieren Sie die Sätze in Übung 2 wie im Beispiel.**

Wo fährt der Bus nach Durlach ab?

Können Sie mir sagen, wo der Bus nach Durlach abfährt?

**A2**

**4** **Opa hört nicht mehr gut. Schreiben Sie.**

■ Hallo, Opa.

■ Ich bin's, Sandra. Wie geht's dir?

**a** ■ *Ich habe dich gefragt, wie es dir geht*.............

■ Und was machst du gerade?

**b** ■ Ich habe gefragt, *was du*.............................
.............................

■ Ein neuer Computer? Wann hast du den gekauft?

**c** ■ Ich habe gefragt, .............................
.............................

■ Und wo?

**d** ■ Ich möchte wissen, .............................
.............................

**e** ■ Was meinst du, Opa?

■ Warte, ich komme heute Abend bei dir vorbei und helfe dir.

● Was? Wer spricht da?

● Was sagst du?

● Ach so. Danke, gut.

● Was hast du gesagt?

● Ich möchte gerade meinen neuen Computer installieren.

● Wie bitte?

● Ach so, gestern.

● Was meinst du?

● Bei Sparstadt in der Computerabteilung. Aber – wie installiert man bloß so ein Ding?

● Hörst du nicht gut? Ich frage mich,
.............................

● Was hast du gesagt ...?

**5** Wie heißt es richtig? Kreuzen Sie an.

**a** ☐ Ich möchte wissen, wo ist die Schokolade.
☒ Ich möchte wissen, wo die Schokolade ist.

**b** ☐ Weißt du, wie spät es ist?
☐ Weißt du, wie spät ist es?

**c** ☐ Woher du kommst?
☐ Woher kommst du?

**d** ☐ Ich frage mich, wie lange diese Übung noch dauert.
☐ Ich frage mich, wie lange dauert diese Übung noch.

**e** ☐ Wie geht es Ihnen?
☐ Wie es Ihnen geht?

**6** Was muss man hier eintragen? Schreiben Sie.

**Postbank Privat-Girokonto**

**Eröffnen Sie für mich ein Privat-Girokonto**
☐ Postbank Giro plus   ☐ Postbank Giro extra plus

**Kundin/Kunde/Kontobezeichnung**
☐ Frau  ☐ Herr

| | |
|---|---|
| Vorname | akademischer Grad |

**a** — Name

**b** — Straße, Hausnummer

Postleitzahl | Ort

**c** — Geburtsdatum | Geburtsort

**d** — ggf. Geburtsname | Staatsangehörigkeit

**e** —

**f** — Vorwahl | Rufnummer

Hier müssen Sie eintragen, …

**a** *wie sie heißen.*

**b** *wo.*

**c** ...............................................

**d** ...............................................

**e** ...............................................

**f** ...............................................

**Phonetik 24**

**7** Hören Sie und markieren Sie die Satzmelodie: → ↗ ↘

Weißt du schon, → wann du kommst? ■ •Kommst du heute ■ oder erst morgen? ■

Sag mir bitte, ■ wo wir uns treffen. ■ •Treffen wir uns um sechs ■ oder lieber erst später? ■

Kannst du mir sagen, ■ wie man das schreibt? ■ •Schreibt man das mit „h" ■ oder ohne „h"? ■

Ich frage mich, ■ warum du so schlecht gelaunt bist. ■ •Hast du ein Problem ■ oder bist du nur müde? ■

**Phonetik**

**8** *Können Sie mir bitte erklären, …* Ergänzen Sie und sprechen Sie.

Welches Formular muss ich ausfüllen? •
Wie spät ist es? •

Wissen Sie, …
Kannst du mir sagen, …
Sag mir bitte, …
Können Sie mir bitte erklären, …
Können Sie mir bitte zeigen, …

Wo hast du das gesehen? •
Wie soll ich die Übung machen? •
Wann ist Herr Müller da? •
Wo gibt es einen Geldautomaten? •
Was kostet der Brief? •
Wann hat die Bank geöffnet? •
Warum hast du nie Zeit für mich? •
Was bedeutet dieses Wort? •
Wo muss ich unterschreiben?

**B2** **9** **Was passt? Ordnen Sie zu.**

**a** Gibt es hier einen Geldautomaten?      Nein, es sind noch 5 Euro übrig.
**b** Kann ich das Eis mit EC-Karte bezahlen?    Nein! Erst, wenn du in der Schule besser wirst.
**c** Papa, bekomme ich mehr Taschengeld?    Ja, gleich da drüben.
**d** Hast du das ganze Geld ausgegeben?    Nein, wir nehmen nur Bargeld.

**B2** **10** **Schreiben Sie die Fragen aus Übung 9 neu.**

**a** Können Sie mir sagen, *ob es hier einen Geldautomaten gibt?* ......................

**b** Wissen Sie, ...................................................................................................... ?

**c** Papa, ich möchte dich fragen, ................................................................................ .

**d** Ich möchte wissen, ................................................................................................ .

**B2** **11** **Machen Sie eine Tabelle mit den Sätzen aus Übung 10.**

Grammatik
entdecken

| *Können Sie mir sagen,* | *ob* | *es hier einen Geldautomaten* | *gibt?* |
| --- | --- | --- | --- |
| ... | | | |

**B3** **12** **Was muss man hier ankreuzen? Schreiben Sie.**

**a** Ich bin ☐ Selbstständige/r. ☐ Angestellte/r. ☐ Arbeiter/in.
☐ Beamtin/Beamter. ☐ Angestellte/r im öffentl. Dienst.
**b** ☐ Schüler/in, Student/in, Auszubildende/r. ☐ Hausfrau/-mann.
☐ im Ruhestand. ☐ arbeitslos. ☐ Sonstiges.
**d** Ich bin wie folgt tätig:

| Beruf | Branche |
| --- | --- |

**e** Ich bin ☐ verheiratet. ☐ ledig. ☐ verwitwet.
☐ geschieden. ☐ getrennt lebend.

Wenn ich möchte, dass die Postbank mich über aktuelle Angebote der Postbank und des Postbank Konzerns informiert, dann gebe ich hier an, unter welcher Rufnummer und an welchen Tagen/zu welchen Zeiten ich von Ihnen angerufen werden möchte.

| Vorwahl | Rufnummer |
| --- | --- |
|   |   |

Sie erreichen mich (Tag, Uhrzeit)

**c** Hier muss man ankreuzen, ...

**a** *ob man Angestellter oder* .......................
*Angestellte ist* ........................................

**b** *ob man* .................................................

**c** ...............................................................
...............................................................

**d** ...............................................................
...............................................................

**e** ...............................................................
...............................................................

**B3** **13** **Ergänzen Sie.**

wie • wo • wann • ~~ob~~ • ob • ob • wie lange

**a** Der Wetterbericht weiß auch nicht, *ob* ........... es morgen regnet.

**b** Können Sie mir bitte sagen, ............... der Film anfängt?

**c** Ich frage mich, ............... sie mich noch liebt.

**d** Weißt du, ................... der Film noch dauert?

**e** Ich möchte wissen, ............... wir noch eine Übung machen müsssen.

**f** Entschuldigen Sie, können Sie mir sagen, ............... hier die Toiletten sind?

**g** Entschuldigen Sie, wissen Sie, ............... spät es ist?

**14** Fragen am Bankschalter. Schreiben Sie.

| Ich möchte gern wissen, ... |

**a** jeder Kunde eine EC-Karte bekommen          *ob jeder Kunde eine EC-Karte bekommt.*
**b** die EC-Karte etwas kosten                   ............................................................
**c** alle EC-Karten eine Geheimnummer haben      ............................................................
**d** die Bank viele Geldautomaten haben          ............................................................
**e** man mit der EC-Karte überall Geld bekommen  ............................................................

**15** Schreiben Sie kurze Gespräche.

Sie haben Ihre EC-Karte verloren.    Sie möchten einen Fernseher kaufen, haben aber nicht genug Geld.

Sie gehen in ein Restaurant und haben nur Ihre EC-Karte dabei.

Sie haben Ihre Geheimnummer vergessen.    Sie haben ein Eis bestellt, haben aber nur Ihre EC Karte dabei.

▲ *Entschuldigen Sie, können sie mir helfen?*
▼ *Ja, gern. Was kann ich für sie tun?*
▲ *Ich habe meine EC-Karte verloren und möchte wissen, ob ich eine neue bekommen kann.*

**16** Ergänzen Sie.

Münzen ● Zinsen ● Taschengeld ● in Raten ● Bankleitzahl ● bar ● ausgegeben ● leihen ● Bank ●
Kontoauszug ● Geldscheine ● Kontonummer

**a** *Geldscheine*............. sind Geld aus Papier. Geld aus Metall sind ........................................ .
**b** Wenn man Geld von der ................................ leiht, muss man ................................ bezahlen.
**c** Mein Sohn bekommt sein ................................ auf sein Konto.
**d** Ich habe gerade kein Geld dabei. Kannst du mir mal fünf Euro ................................ ?
**e** ■ Die Waschmaschine ist zu teuer. So viel Geld habe ich nicht.
   ◆ Das macht nichts, Sie können auch ................................ zahlen.
**f** In der Eisdiele nehmen sie keine EC-Karte. Da musst du schon ................................ bezahlen.
**g** Oje! Ich fürchte, ich habe diesen Monat zu viel Geld ................................ !
**h** Zur Bankverbindung gehören ................................ und ................................ .
**i** Auf dem ................................ steht, wie viel Geld auf dem Konto ist.

**17** Notieren Sie im Lerntagebuch.                    ✚ LERNTAGEBUCH

*Antwort: Ja./Nein.*                            *Antwort: z.B. In der Parkstraße 21.*
*Können Sie mir sagen, **ob** es hier eine Bank gibt?*    *Können Sie mir sagen,*
*Ich würde gern wissen, **ob** ....*                 ***wo** Peter Kraus wohnt?*

................▶ Portfolio

**C1** | **18** | **Was kann man alles machen lassen? Kreuzen Sie an.**

☒ einen Brief schreiben      ☐ einen Text lesen
☐ über einen Witz lachen      ☐ das Kleid reinigen
☐ die Wohnung putzen      ☐ sich für Musik interessieren
☐ das Fahrrad reparieren      ☐ die Stadt kennen
☐ ein Formular unterschreiben      ☐ Freunde treffen

**C2** | **19** | **Schreiben Sie.**

**a** Sie schreibt nicht gern Briefe. Sie *lässt* alle Briefe *schreiben* .

**b** Er putzt seine Wohnung nie, er ............... sie ........................................ .

**c** ■ Für dieses Formular brauchen wir noch die Unterschrift vom Chef.

◆ Moment, ich ................. es ihn ........................................ .

**d** Ich kann mein Fahrrad nicht reparieren, ich ................. es immer ........................................ .

**e** Dieses Kleid kann ich nicht reinigen. Ich ................. es ........................................ .

**C2** | **20** | **Schreiben Sie.**

**a** Jacke schmutzig – reinigen

▲ Die Jacke ist zu schmutzig. *Du musst sie reinigen lassen* .

● *Gut, ich lasse sie reinigen* .

**b** EC-Karte verloren – eine neue ausstellen lassen

▲ Wenn du deine EC-Karte verloren hast, dann musst ........................................ .

● Gut, ich ........................................ .

**c** Haare zu lang – schneiden lassen

▲ Deine Haare sind zu lang. Du musst ........................................ .

● Gut, ........................................ .

**d** Fahrrad kaputt – reparieren

▲ Dein Fahrrad ist jetzt schon zwei Wochen kaputt. Du musst ........................................ .

● Gut, ........................................ .

**C2** | **21** | **Ergänzen Sie** *sich – mir – dir – uns – euch.*

**a** Deine Haare sind so lang. Du solltest sie *dir* schneiden lassen.

**b** Wir finden Möbel aus hellem Holz sehr schön. Jetzt lassen wir ............... eine Gartenbank machen.

**c** Meine EC-Karte ist kaputt. Ich muss ........................ eine neue ausstellen lassen.

**d** Ihr könnt ........................ das Geld an Schalter 1 auszahlen lassen.

**e** Er liebt schöne Kleider. Seine Anzüge lässt er ........................ immer nähen.

**f** Lassen Sie ........................ Obst und Gemüse auch immer nach Hause liefern, Frau Müller?

**C2** | **22** | **Ergänzen Sie** *lassen.*

**a** Das ist zu schwer! *Lass* dir doch helfen!

**b** Ich habe keine Lust mehr. Die E-Mail ........................ ich meine Freundin beantworten.

**c** Die Jacke sieht nicht gut aus. Wir ........................ sie reinigen.

**d** Unsere Nachbarn ........................ ihre Wohnung nie renovieren.

**e** ........................ ihr euch auch manchmal Pizza nach Hause bringen?

**f** Sie nimmt nie die U-Bahn. Sie ........................ sich immer vom Bahnhof abholen.

**23** Die letzte Woche war ganz verrückt. Schreiben Sie.

reparieren • reinigen • beim Arzt untersuchen • nähen • Tür öffnen • Haare waschen

*Also, die letzte Woche war ganz verrückt. Am Montag ist mein Auto kaputtgegangen und ich musste es reparieren lassen. Am Dienstag habe ich meinen Hausschlüssel vergessen und ich musste die Tür ...*

**24** Besuch mich doch mal!

**a** Lesen Sie die Mail von Markus.

> Liebe Sandra,
>
> wie geht es Dir?
> Ich habe einen neuen Job und wohne seit zwei Wochen in Rostock. Ich finde es sehr schön hier. Besuch mich doch mal, dann kannst Du Rostock kennenlernen.
>
> Viele Grüße
> Markus

**b** Lesen Sie Sandras Terminkalender und antworten Sie Markus.
Schreiben Sie, was Sandra im Mai und Juni machen (lassen) muss.

| Mai | Juni | Juli |
|---|---|---|
| *3. Auto Werkstatt* | *8.–11. Wohnung renovieren* | *Urlaub* |
| *12. zur VHS, für den Sprachkurs anmelden* | *17. Zahnarzt* ☹ | |
| *20.–30. Sprachkurs an der VHS* | *19. Zahnarzt* ☹ | |
| *31. 70. Geburtstag Tante Valentina, Mail schreiben* | *23. Zahnarzt* ☹ | |

> Lieber Markus,
> vielen Dank für Deine Einladung. Ich komme gern. Im Mai und Juni habe ich aber keine Zeit, weil ich so viele Termine habe. Ich ...
> ...
> Aber im Juli habe ich Urlaub, da kann ich kommen. Hast Du da auch Zeit?
> Viele Grüße
> Sandra

**D1** **25** **Silbenrätsel: Ergänzen Sie.**

ab • be • be • ben • ein • er • he • kommt • len • len • nen • öff • über • weisen • zah • zah

**a** Enschuldigung, kann ich bei Ihnen ein neues Konto *eröffnen* ?

**b** Wenn man ein Sparkonto hat, ............................................. man Zinsen. Wenn man Geld ausleiht, muss man Zinsen ............................................. .

**c** Bitte ............................................. Sie den Betrag von € 241,32 auf unser Konto.

**d** Ich möchte gern 500 Euro auf mein Sparkonto ............................................. .

**e** Ich möchte 200 Euro von meinem Girokonto ............................................. .

**D2**
**CD3** 25-28 **26** **Gespräche am Bankschalter**

**a** Hören Sie die Gespräche 1 bis 4 und ordnen Sie zu.

Gespräch 1     Der Kunde möchte wissen, wie viel ein Girokonto kostet.
Gespräch 2     Der Kunde möchte ein Girokonto eröffnen.
Gespräch 3     Der Kunde möchte Informationen über Geldautomaten haben.
Gespräch 4     Der Kunde möchte wissen, wie viel Zinsen es bei einem Sparkonto gibt.

**CD3** 25-28 **b** Hören Sie die Gespräche noch einmal. Was ist richtig? Kreuzen Sie an.

**Gespräch 1** Was kann man mit einem Girokonto machen?
☐ Geld sparen      ☐ die Miete überweisen      ☐ das Gehalt überweisen lassen

**Gespräch 2** Wie viel Zinsen bekommt man für ein normales Sparbuch?
☐ 2 Prozent      ☐ 3 Prozent      ☐ 2000 Euro

Wie viel Geld muss auf dem Sparbuch sein, wenn man 3 Prozent Zinsen bekommen will?
☐ 2 Prozent      ☐ mehr als 2000 Euro      ☐ 3000 Euro

**Gespräch 3** Wie viel Geld muss jeden Monat auf ein kostenloses Girokonto kommen?
☐ 1000 Euro      ☐ 3 Prozent      ☐ 3000 Euro

Wofür muss man bezahlen, wenn das Girokonto nicht kostenlos ist?
☐ für Überweisungen      ☐ für den Geldautomaten      ☐ für die EC-Karte

**Gespräch 4** Was kostet es, wenn man am Geldautomaten Geld holt?
☐ Das ist      ☐ Das ist bei der eigenen      ☐ Das kostet bei einer
   immer kostenlos.      Bank kostenlos.      anderen Bank € 2,50.

**D3** Phonetik
**CD3** 29 **27** **Lesen Sie die Texte und markieren Sie die Betonung ´ ⌣ . Hören Sie und vergleichen Sie.**

**a** Der Fúchs schreibt an die Gáns:
„Ich liebe dich. Dein Hans."
Die Gans schreibt ihm ganz schlau zurück:
„Besuch mich auf dem Teich. Viel Glück!"

**b** Der Hahn schreibt an die Hühner:
„Ihr werdet immer schüner!"
Da gackern laut die Hühner:
„Der Kerl wird immer dümer!"

*Texte leicht verändert. Original siehe Quellenverzeichnis*

**Im Text b stimmt etwas nicht. Korrigieren Sie.**
**Sprechen Sie dann die Texte. Achten Sie auf die markierten Buchstaben.**

rüfung **28**   **Schon wieder eine Rechnung!**

**a**   **Lesen Sie die Rechnung und ordnen Sie zu.**

1   Wie viel Geld muss Frau Winter bezahlen?
2   Wer bekommt das Geld?
3   Warum muss Frau Winter Geld bezahlen?
4   Auf welches Konto muss Frau Winter das Geld überweisen?

Maria Winter
Untere Gasse 12
03431 Hahnstein

**Modernes Wohnen GmbH** ☐
Meisenweg 8
03431 Hahnstein

Hahnstein, 23.6.2009

**Heizkostenabrechnung für die Mietwohnung Untere Gasse 12**
**Rechnungsnummer 12/06 09**

Sehr geehrte Frau Winter,

für das Jahr 2008 ergibt sich folgende Heizkostenabrechnung: ☐

| | |
|---|---|
| Heizung, Warmwasser | 1.311,49 € |
| Ihre Vorauszahlungen Januar – Dezember (12 x 100 €) | - 1.200,00 € |
| **Nachzahlung** | **111,49 €** |

1

Bitte überweisen Sie den Betrag von 111,49 € auf unser Konto 3137487 bei der
Volksbank Hahnstein, BLZ 231 364 00. Geben Sie bitte die Rechnungsnummer an.   ☐

Mit freundlichen Grüßen

i.A. Walter
Modernes Wohnen GmbH

**b**   **Frau Winter überweist das Geld. Füllen Sie das Formular fertig aus.**
   **Ergänzen Sie:**

- den Empfänger,
  seine Bank,
  die Kontonummer,
  die Bankleitzahl
- den Betrag
- die Rechnungsnummer

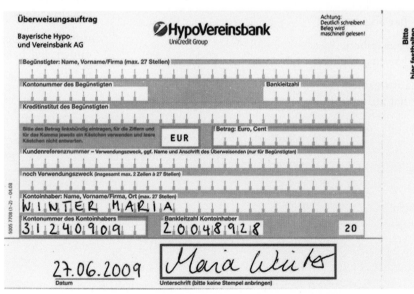

## Auf der Bank

| | | | |
|---|---|---|---|
| Bankleitzahl die, -en | ......................... | Konto das, Konten | ......................... |
| Bankschalter der, - | ......................... | Kontoauszug der, ⸚e | ......................... |
| Bankverbindung die, -en | ......................... | Kontoeröffnung die, -en | ......................... |
| Geheimnummer die, -n | ......................... | Kontonummer die, -n | ......................... |
| Geheimzahl die, -en | ......................... | PIN-Code der, -s | ......................... |
| (Giro-/Spar)konto das, -konten | ......................... | PIN (=die persönliche Identifikations- nummer) die, -s | ......................... |
| Geldautomat der, -en | ......................... | | |

## Rund ums Geld

| | | | |
|---|---|---|---|
| Bargeld das | ......................... | ... ein·zahlen, hat eingezahlt | ......................... |
| Geldschein der, -e | ......................... | ... sparen, hat gespart | ......................... |
| Kleingeld das | ......................... | ... überweisen, hat überwiesen | ......................... |
| Münze die, -n | ......................... | | |
| Zinsen die (Pl.) | ......................... | (ein Konto) eröffnen, hat eröffnet | ......................... |
| (Geld) | | (die Geheimzahl/ den PIN-Code) ein·tippen, hat eingetippt | ......................... |
| ... ab·heben, hat abgehoben | ......................... | | |
| ... (vom Konto) ab·buchen, hat abgebucht | ......................... | Zinsen bekommen/ zahlen, hat bekommen/ gezahlt | ......................... |
| ... aus·leihen, hat ausgeliehen | ......................... | | |
| ... aus·zahlen, hat ausgezahlt | ......................... | | |

## Zahlungsmöglichkeiten

| | | | |
|---|---|---|---|
| bar | .................................................... | bar bezahlen, <br> hat bezahlt | .................................................... |
| (EC-/Kredit)Karte <br> die, -n | .................................................... | mit EC-Karte / <br> in Raten zahlen, <br> hat gezahlt | .................................................... |
| Rate die, -n | .................................................... | | |

## Weitere wichtige Wörter

| | | | |
|---|---|---|---|
| Bestätigung die, -en | .................................................... | auswendig lernen, <br> hat auswendig <br> gelernt | .................................................... |
| Betrag der, ⸚e | .................................................... | enttäuschen, <br> hat enttäuscht | .................................................... |
| Biergarten der, ⸚ | .................................................... | installieren, <br> hat installiert | .................................................... |
| (Park)Gebühr <br> die, -en | .................................................... | kontrollieren, <br> hat kontrolliert | .................................................... |
| Kissen das, - | .................................................... | kopieren, hat kopiert | .................................................... |
| Kopie die, -n | .................................................... | lassen, lässt, <br> hat gelassen | .................................................... |
| Öl das, -e | .................................................... | nähen, hat genäht | .................................................... |
| Original das, -e | .................................................... | tippen, hat getippt | .................................................... |
| Spende die, -n | .................................................... | zu·schicken, <br> hat zugeschickt | .................................................... |
| akzeptieren, <br> hat akzeptiert | .................................................... | enttäuscht | .................................................... |
| ändern, <br> hat geändert | .................................................... | sämtlich- | .................................................... |
| an·geben, gibt an, <br> hat angeben | .................................................... | anscheinend | .................................................... |
| an·schließen, <br> hat angeschlossen | .................................................... | letzten/diesen/ <br> nächsten Monat | .................................................... |
| aus·kennen (sich), <br> hat sich ausgekannt | .................................................... | | |

**A4**

**1**   **Kindheit und Jugend auf dem Land. Welches Verb passt? Markieren Sie**
*dürfen – können – müssen – sollen – wollen – sein – haben.*

**a** ■ (Konntest / Musstest) du früher deinen Eltern bei der Arbeit auf dem Bauernhof helfen?
   ▲ Ja. Meine Freunde (durften / sollten) nachmittags immer Fußball spielen und
     ich (konnte / musste) zu Hause auf dem Hof arbeiten. Das war für meine Eltern ganz normal.
   ■ Aber (konntest / solltest) du denn nie nachmittags deine Freunde treffen?
   ▲ Doch, natürlich! Manchmal schon, besonders wenn das Wetter schlecht (hatte / war).

**b** ■ (Musstet / Durftet) ihr früher am Sonntag lange schlafen?
   ▲ Nein, leider nicht. Unsere Eltern (wollten / sollten), dass wir um acht Uhr aufstehen und
     mit ihnen in die Kirche gehen.

**c** ■ (Warst / Hattest) du gute Noten in der Schule?
   ▲ Oh nein. Aber ich (wollte / musste) eine Lehre als Kfz-Mechaniker machen.
     Das (hatte / war) immer mein Traum und dafür braucht man kein Abitur.

**A4**

**2**   **Kindheit und Jugend. Ergänzen Sie in der richtigen Form.**

**a** Als Kind ................. ich beim Spielen einmal in ein Loch ................................. . Dabei
   ................................. ich mich am Fuß so schwer ................................. , dass ich nach der Operation
   noch zwei Wochen im Krankenhaus ................................. . (fallen – verletzen – liegen müssen)

**b** Ich ................. in einem kleinen Dorf am See ................................. . (aufwachsen)

**c** Wir Kinder ................. immer auf dem Bauernhof ................................. . (mitarbeiten)

**d** Wenn wir für unsere Mutter ................................................. , dann ....................... wir
   manchmal ein Stück Schokolade in dem Geschäft ................................. . (einkaufen –
   bekommen)

**e** Unser Opa ................. uns oft Geschichten aus seiner Kindheit ........................... . (erzählen)

**f** Am Wochenende ................. ich oft zu meiner Oma ................. . Bei ihr ................. es mir immer
   sehr ................................. . (fahren – gefallen)

**A5**

**3**   **Katrins Kindheit. Schreiben Sie.**

Würstchen braten ● Fußball spielen ● vorlesen ● im Garten arbeiten ● Campingurlaub machen ●
Feuer machen ● auf Bäume klettern ● ...

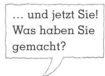

**a** *Katrins Oma hat ihr oft aus Kinderbüchern vorgelesen. Das war schön!* .................................
................................................................................................................................
................................................................................................................................

**4**　**Jugendliche und ihre Eltern. Was wünschen sie sich? Schreiben Sie die Sätze freundlicher mit** *Ich würde gern ... – Ich hätte gern ... – Ich möchte ... – Ich wäre gern ...*

**a** Ich will jetzt in Ruhe Zeitung lesen! *Ich würde jetzt gern* .......................................... .

**b** Ich will jetzt allein sein! ............................................................................................. .

**c** Ich will ein neues Fahrrad haben! ............................................................................... .

**d** Ich will jetzt in Urlaub fahren! .................................................................................... .

**5**　**Machen wir das so? Welche Antwort ist positiv ☺, welche ist negativ ☹, welche ist neutral ☺? Kreuzen Sie an.**

　■ Was denkst du? Machen wir das so?

|  |  | ☺ | ☺ | ☹ |  |  | ☺ | ☺ | ☹ |
|---|---|---|---|---|---|---|---|---|---|
| **a** | Okay, einverstanden. | ☐ | ☐ | ☐ | **d** | Meinetwegen. | ☐ | ☒ | ☐ |
| **b** | Ich habe keine Lust. | ☐ | ☐ | ☐ | **e** | Das machen wir. | ☐ | ☐ | ☐ |
| **c** | Gute Idee! | ☐ | ☐ | ☐ | **f** | Das ist keine gute Idee. | ☐ | ☐ | ☐ |

**6**　**Probleme von Jugendlichen**

**a** Wer hat welches Problem? Überfliegen Sie die Texte und kreuzen Sie an.

|  | schlechte Noten | Urlaub mit Eltern | der Freund |
|---|---|---|---|
| **1** Michael |  |  |  |
| **2** Sonja |  |  |  |
| **3** Arnold |  |  |  |

**1** *Gestern habe ich schon wieder eine Sechs in Mathe bekommen. Jetzt ist klar, dass ich die 9. Klasse wiederholen muss. Das Problem ist: Ich habe meinen Eltern ganz oft die schlechten Noten nicht gesagt. Sie glauben, dass ich die Klasse bestehe. Was soll ich jetzt machen? Einen Monat vor den Zeugnissen? Ich habe solche Angst vor dem letzten Schultag!*　　　　Michael N. (15 Jahre)

**Frau Dr. Erika Burger rät:**
Lieber Michael,
ich kann gut verstehen, dass Du Angst vor Deinen Eltern hast. Aber wenn Du jetzt bis zum letzten Schultag wartest, dann machst Du alles nur noch schlimmer und Deine Eltern sind auch noch sauer, weil Du ihnen so lange nicht die Wahrheit gesagt hast. Was denkst Du? Ich habe da einen Vorschlag: Du solltest …

**2** **Ich weiß nicht mehr, was ich machen soll. Immer wenn ich mit meinem Freund ausgehe, flirtet er vor meinen Augen mit anderen Mädchen. Letzte Woche sogar mit meiner Freundin! Wenn ich dann sauer bin, sagt er, dass er nur mich liebt. Soll ich ihm das glauben?**　Sonja M. (17 Jahre)

**3** Meine Eltern wollen mit mir im Sommer in Urlaub fahren. Bis jetzt sind wir immer gemeinsam gefahren. Aber ehrlich gesagt habe ich überhaupt keine Lust. Ich würde viel lieber mit meinen Freunden fahren. Ich weiß aber genau, dass dann meine Eltern enttäuscht sind. Was soll ich tun?　**Arnold K. (16 Jahre)**

btraining　**b** Lesen Sie die Antwort von Frau Burger auf Text 1. Welchen Ratschlag geben Sie Michael? Schreiben Sie.

offen mit den Eltern reden ● jemand aus der Familie kann helfen ● im neuen Schuljahr Nachhilfe nehmen ● mehr lernen ● die Eltern zum Essen einladen ● abwarten ● ...

*Du solltest/könntest ... / Ich habe da einen Vorschlag: ... / Was denkst Du? ...*

btraining　**c** Schreiben Sie die Antwort zu einem Text.
　　**Frau Dr. Erika Burger rät:**
　　*Liebe / -r ...*

**C3**

**7**  **Lesen Sie noch einmal den Text im Kursbuch auf Seite 78, C3 und kreuzen Sie an.**

| | | richtig | falsch |
|---|---|---|---|
| **a** | Fast die Hälfte aller Deutschen nennt seinen Partner *Schatz* oder *Liebling*. | ☐ | ☐ |
| **b** | Kosenamen aus der Märchenwelt sind bei Frauen besonders beliebt. | ☐ | ☐ |
| **c** | Runde Frauen nennen ihre Männer gern *Dickerchen*. | ☐ | ☐ |
| **d** | Viele Frauen und Männer möchten, dass man sie lieber nicht mit Kosenamen anspricht. | ☐ | ☐ |

**C4**

**8**  **Suchen Sie im Wörterbuch und ergänzen Sie.**

**a** Ruhe  **b** Arbeit  **c** erziehen

...................ig  ...........*arbeits*.los  ........................ung  ........................er

un........................  ........................er  ........................bar  ........................in

........................los  ........................in

**C4**

**9**  **Ergänzen Sie in der richtigen Form.**

**a** ● Das Rätsel ist total schwer.

■ Nein, überhaupt nicht. Ich konnte es sofort **lösen**. Es ist wirklich gut ................................ .

**b** ▲ Schrecklich! Er redet wirklich ohne **Pause**. Er redet ........................n.............. .

**c** ● Ich habe im Wetterbericht gehört, dass es morgen den ganzen Tag **Sonne** gibt.

■ Ja, ich glaube auch, dass es ................................ wird.

**d** ▲ Möchtest du noch ein **Stück** Kuchen?

▼ Vielleicht nur so ein kleines ................................, ich bin eigentlich schon satt.

**e** ■ In welche Schule soll ich Frederik denn schicken? Ich kann mich wirklich nicht **entscheiden**.

◆ Das verstehe ich, das ist ja auch wirklich keine leichte ................................ .

**f** ● **Raucht** Carla eigentlich noch?

◆ Klar, du weißt doch. Sie war schon immer eine starke ................................ .

**g** ▲ 100 Kilometer in einer Stunde mit dem Fahrrad fahren? Das ist **nicht möglich**! Das ist ................................

**h** ■ Telefongespräche mit der Nummer 0800 **kosten** den Anrufer **nichts**. Sie sind ................................ .

**i** ● Schau mal, die süßen, **kleinen Katzen** dort. Ich hätte gern so ein ................................ .

**j** ▼ Er ist **nicht** sehr **höflich** zu den Kunden. Er ist ................................ .

**C4**

**10**  **Bilden Sie Wörter und schreiben Sie.**

**a** +  *die Kinder*
*der Garten*

*der Kindergarten*.......................

**d** +  ........................
........................

........................

**b** +  ........................
........................

........................

**e** +  ........................
........................

........................

**c** +  ........................
........................

........................

**f** +  ........................
........................

........................

## 11 Liebe ist, wenn …? Ordnen Sie zu und schreiben Sie.

den anderen mit Geschenken überraschen ● sich ~~ohne Worte gut verstehen~~ ● im Alltag noch gemeinsam Spaß haben und lachen ● sich nach einem Streit immer wieder versöhnen

**a** *Liebe ist, wenn man sich ohne Worte …*
**b** *Liebe ist, …*

## 12 Was gehört für Sie zu einer guten Partnerschaft? Ergänzen Sie die Satzanfänge.

gemeinsam kochen ● viel Zeit miteinander verbringen ● über alles reden können ● gemeinsame Interessen haben ● sich nicht über Geld streiten ● nie allein sein ● sich gut kennen ● sich alles sagen können ● den Haushalt gemeinsam machen ● …

Ich finde es wichtig, dass …
Es ist schön, wenn man … *viel Zeit miteinander verbringt.*
Eine gute Partnerschaft ist wichtig, weil man …

## 13 Heiraten ja oder nein? Ergänzen Sie *deshalb – aber – denn – trotzdem*.

**Udo, 23 Jahre**

Heiraten finde ich gut, doch damit lasse ich mir lieber Zeit, ………………, ich will mir ganz sicher sein.

**Thomas, 35 Jahre**

Ich bin bereits geschieden. ……………… heirate ich noch mal, wenn ich die richtige Frau finde.

**Klara, 18 Jahre**

Heiraten? Wozu? Das ist doch nur ein Vertrag, ……………… mache ich mir doch nicht so einen Stress – mit Feier und so. Ich finde das nicht wichtig.

**Bettina, 21 Jahre**

Ich möchte schon gern heiraten, ……………… ich warte noch auf meinen Traummann. Irgendwie hat das etwas Romantisches.

## 14 Schreiben Sie eine kurze Liebesgeschichte.
### Schreiben Sie aus den Wörtern in a oder b eine Geschichte und benutzen Sie dabei mindestens fünf der folgenden Wörter:

weil ● trotzdem ● denn ● deshalb ● aber ● dass ● wenn

**a** im Zug – Mädchen – gefallen – ansprechen – Café – Telefonnummern austauschen – …?
**b** im Urlaub – Strand – Disco – verliebt – Trennung nach zwei Wochen – nach Hause fahren – ein Jahr später: … ?

**a** *Eduard wollte im April mit dem Zug nach Glasgow fahren. Deshalb …*

## Lebensabschnitte

Abschnitt der, -e ....................................

Erinnerung die, -en ....................................

Erziehung die ....................................

Jugend die ....................................

Kindheit die ....................................

Krise die, -en ....................................

Pension die,
  -en (Rente) ....................................

Tod der ....................................

(auf dem Land /
  in der Stadt) auf·wachsen,
  wächst auf,
  ist aufgewachsen ....................................

groß werden,
  wird groß,
  ist groß geworden ....................................

mit·helfen, hilft mit,
  hat mitgeholfen ....................................

mit·spielen,
  hat mitgespielt ....................................

sterben, stirbt,
  ist gestorben ....................................

pensioniert ....................................

tot ....................................

damals ....................................

## Konflikte

Kompromiss der, -e ....................................

Konflikt der, -e ....................................

einen Kompromiss
  finden,
  hat gefunden ....................................

streiten,
  hat gestritten ....................................

respektlos ....................................

meinetwegen ....................................

## Weitere wichtige Wörter

| | |
|---|---|
| Abschied der, -e | ..................................... |
| Aufforderung die, -en | ..................................... |
| Aufmerksamkeit die, -en | ..................................... |
| Eigenschaft die, -en | ..................................... |
| Einfall der, ̈e | ..................................... |
| Energie die, -n | ..................................... |
| Fantasie die, -n | ..................................... |
| Gedanke der, -n | ..................................... |
| Hoffnung die, -en | ..................................... |
| Kosename der, -n | ..................................... |
| Loch das, ̈er | ..................................... |
| Maus die, ̈e | ..................................... |
| Operation die, -en | ..................................... |
| Privatsache die, -n | ..................................... |
| Raucher der, - | ..................................... |
| Schatz der, ̈e | ..................................... |
| Seife die, -n | ..................................... |
| (Un)Zuverlässigkeit die | ..................................... |

| | |
|---|---|
| auf andere Gedanken kommen, ist gekommen | ..................................... |
| an·sprechen, spricht an, hat angesprochen | ..................................... |
| befragen, hat befragt | |
| übernehmen, übernimmt, hat übernommen | ..................................... |
| aktiv | ..................................... |
| dankbar | ..................................... |
| dieselb- | ..................................... |
| einfallslos | ..................................... |
| eng | ..................................... |
| leicht | ..................................... |
| nachdenklich | ..................................... |
| rein | ..................................... |
| verletzt | ..................................... |
| drinnen/draußen | ..................................... |
| übrigen | ..................................... |

## Welche Wörter möchten Sie noch lernen?

Wo steigen Sie ein? Was möchten Sie noch üben? Wählen Sie aus.

## 1 -ung, -er, -in
**Schreiben Sie.**

**a** anmelden *die Anmeldung*

**b** üben ...................................

**c** einladen ...................................

**d** bestellen ...................................

**e** wohnen ...................................

**f** kaufen ...................................

**g** fahren ...................................

**h** empfehlen ...................................

**i** schwimmen *der Schwimmer*

*die* ...................................

## 2 Autoreifen, Autofahrer, Spielauto ...
**Bilden Sie Wörter.**

Amt ● Apfel ● Auto ● Blumen ● Brille ● Bücher ● Bus ● Computer ● Fahr- ● Fahrer ● Finanz- ● Haus ●
Kleider ● Meister ● Mineral ● Rad ● Regal ● Reifen ● Saft ● Schrank ● Schreib- ● Sonnen ● Spiel ●
Strauß ● Tisch ● Wasser ● Wohn- ● Zimmer

## 3 Ergänzen Sie lich – ig – isch – los – bar – un.

**a** kosten*los*

**b** les...................

**c** ...................glücklich

**d** wolk...................

**e** regner...................

**f** arbeits...................

**g** sonn...................

**h** untrenn...................

**i** höf...................

**j** ...................ruhig

## 4 Ergänzen Sie einer, eins, eine, welche – keiner, ...

**a** ● Haben wir noch Bananen?

**b** ● Ist noch ein Joghurt im Kühlschrank?

**c** ● Brauchen wir noch Eier?

**d** ● Sind noch Brezeln da?

**e** ● Soll ich Nudeln kaufen?

**f** ● Brauchen wir noch Brötchen?

**g** ● Soll ich noch einen Orangensaft mitbringen?

■ Nein, es sind *keine* mehr da.

■ Ja, es ist noch ........................... da.

■ Nein, es sind noch ........................... da.

■ Ja, aber nur noch ........................... und die ist für Julia.

■ Ja, denn wir haben ........................... mehr.

■ Nein, ich habe schon ........................... gekauft.

■ Ja bitte, wir haben ........................... mehr.

## 5 Was für ... ?
**Ergänzen Sie, wo nötig.**

**a** ● Mama, ich will *ein* Haustier haben. ■ Was für *ein* Haustier möchtest du? ● *Eine* Katze.

**b** ◆ Guten Tag, Sie wünschen? ▲ Ich suche ............... günstigen Ball. ◆ Was für ............... Ball möchten Sie?
▲ ............... Fußball.

**c** ■ Kann ich ............... Eis haben? ▼ Was für ............... Eis? ■ ............... Schokoladeneis, ist doch klar!

**d** ▲ Wir brauchen wieder Formulare. ◆ Was für ............... Formulare? ▲ Anmeldeformulare.

## 6 Ergänzen Sie.

**a** ● Was ist denn mit deiner rot*en* Jacke passiert?

　■ Sie ist in einen Eimer mit weiß............ Farbe gefallen und nun ist sie weiß.

**b** ▲ Und, wie gefällt dir dein neu............ Auto?

　▼ Nicht besonders. Es hat unbequem............ Sitze, ein schlecht............ Radio und eine

　　hässlich............ Farbe.

　▲ Warum hast du es dir dann gekauft?

　▼ Es hat nur 500 Euro gekostet. Bei dem niedrig............ Preis konnte ich nicht Nein sagen.

**c** ● Und hier haben wir noch ein schön............ Besteck mit groß............ und klein............ Löffeln

　　für günstig............ 49 Euro.

　■ Ich weiß nicht, ich habe eher an ein billig............, bunt............ Besteck aus Plastik gedacht.

**d** ● Schau mal, da drüben! Dieser alt............ Bauernschrank würde gut in unser Schlafzimmer passen!

　■ Meinst du? Also, ich mag lieber modern............ Möbel.

## 7 Ergänzen Sie.

**a** Verkaufe gebraucht*e* Waschmaschine, 3 Jahre alt, in gut............ Zustand.

**b** Suche gut............, klein............ Zelt für 2 Personen.

**c** Günstig............ Ferienwohnungen im Allgäu für 2 bis 6 Personen. Alle Wohnungen in

　wunderschön............, ruhig............ Landschaft.

**d** Hotel in zentral............ Lage von Bielefeld, preiswert............ Wochenendangebote:

　zwei Übernachtungen zum Preis von einer. Gut............ Küche.

## 8 Was ist richtig? Kreuzen Sie an.

| | e | er | es | en | |
|---|---|---|---|---|---|
| **a** Schau mal, da steht ein rot............ | | x | | | Sessel. |
| **b** Ich suche einen Computer mit einem klein............ | | | | | Bildschirm. |
| **c** Ich glaube, wir haben hier ein groß............ | | | | | Problem. |
| **d** Gehört dir das rot............ | | | | | Fahrrad? |
| **e** Gestern kam ein interessant............ | | | | | Film im Fernsehen. |
| **f** Schau mal, die hübsch............ | | | | | Kinderschuhe! |
| **g** Gibt es hier frisch............ | | | | | Obst? |
| **h** Jetzt im Sonderangebot: neu............ | | | | | Kartoffeln, das Kilo € 0,69! |
| **i** Ich glaube, ich nehme den rund............ | | | | | Tisch hier. |
| **j** Mein klein............ | | | | | Bruder ist erst drei! |
| **k** Ich kaufe nur gebraucht............ | | | | | Autos. |
| **l** Ich kann mit dem neu............ | | | | | Computer viel besser arbeiten. |

**9**    **Ergänzen Sie** *so gut wie ... – besser als ... – am besten ...*

**a**   gut

● Du hast doch das Fußballspiel gestern gesehen. Welche Mannschaft war denn ........................................ ?

■ Also, Real Hueber war viel ..................................... Hueber United. Und der Spieler mit der

Nummer 13 war ..................................... .

**b**   gern

▲ Was isst du denn gern?

▼ Ich esse .*gern*....... Pizza, aber noch ..................................... esse ich Spaghetti und am

..................................... Pommes frites.

**c**   schnell – billig

■ Wie komme ich ..................................... in die Innenstadt? Ist es mit dem Taxi

..................................... mit der U-Bahn?

◆ Die U-Bahn ist so ..................................... das Taxi, aber sie ist viel ..................................... .

**d**   warm – kalt

● Und wie ist das Wetter bei euch so?

▲ Heute ist es ..................................... gestern. Aber morgen soll es wieder .....................................

gestern werden.

**10**    **Ergänzen Sie** *mich – dich – sich – uns – euch.*

**a**   ■ Kinder, könnt ihr .*euch*........... jetzt bitte ausziehen und ins Bett gehen?

● Wir haben ..................... doch schon ausgezogen. Schau, Mama!

**b**   ▲ Ist das anstrengend! Ich brauche eine Pause.

● Gut, dann ruh ..................... jetzt ein bisschen aus.

**c**   ▲ Kommst du mit ins Schwimmbad oder nicht?

■ Ich weiß noch nicht. Ich fühle ..................... heute nicht so wohl.

**d**   ◆ Was ist denn los? Warum ist Peter denn so sauer?

▲ Er hat ..................... gerade über seinen Vater geärgert.

**11**    **Schreiben Sie.**

**a**   ● Wie findest du diese Schuhe? – gefallen

■ *Prima, sie gefallen mir gut*.....................................................

**b**   ▲ Ich suche die Kundentoilette. – helfen

▼ Können Sie ..................................................... ?

**c**   ■ Wie sehe ich in diesem Kleid aus? – stehen

◆ Naja, ich weiß nicht! Ich finde, es .....................................................

**d**   ● Schau mal, da liegt eine Uhr. Ist das deine? – gehören

■ Oh, danke! Ja, die ..................................... .

**e**   ◆ Und wie war die Pizza, Kinder? – schmecken

▲ Super! Die hat ..................................... .

**f**   ● Hast du mal diese Hose anprobiert? – passen

■ Ja, aber sie ..................................... .

## 12 Ergänzen Sie *mir – dir – ihm – ihr – uns – ihnen.*

**a** ● Hast du *ihr* ............... das Geld schon zurückgegeben?

■ Ja, sie hat es schon bekommen.

**b** ▲ Hast du den Kindern etwas mitgebracht?

▼ Klar, ich habe ...................... tolle Spiele gekauft.

**c** ◆ Und wie feiert ihr Weihnachten?

▲ Ganz ruhig, in der Familie. Und wir schenken ...................... nichts zu Weihnachten.

**d** ▼ Markus hat nächste Woche Geburtstag. Was soll ich ...................... denn schenken?

■ Schenk ...................... doch eine DVD.

**e** ● Kannst du ...................... mal dein Handy geben?

▲ Einen Moment, ich gebe es ...................... gleich.

## 13 *Sie ist angekommen ...*
### Schreiben Sie.

| Montag | Dienstag | Mittwoch | Donnerstag | Freitag | Samstag |
|---|---|---|---|---|---|
| ca. 10 Uhr Ankunft Beate: Bahnhof nachmittags Anruf: Kino → Kinokarten reservieren !!! abends Kinopalast: „Good Bye Lenin" | Museum: Eintrittskarten am Schalter abholen Café Lisboa und Stadtbummel | Lebensmittel für Picknick einkaufen Theater am Einlass: „Frühlingserwachen" | !!! früh Finanzamt anrufen Schifffahrt Sonnensee: Abfahrt 10.45 Uhr, Ankunft Brodweil 11.30 Uhr, zurück: 16.25 Uhr | Auto bei Stefan abholen: Picknick am Brombacher Weiher | Beate → Hamburg; 13.30 Uhr Bahnhof |

*Am Montag um 10 Uhr ist Beate am Bahnhof angekommen. Wir haben erst mal viel geredet. Wie schön, endlich ist sie da! Nachmittags habe ich ...*

## 14 *Ist etwas passiert?*
### Ergänzen Sie *verpassen, passieren, telefonieren, erleben, beginnen, bekommen* in der richtigen Form.

**a** ● Hallo, Tim, wo warst du denn so lange. Ist etwas *passiert* ......................?

▲ Tut mir leid, dass ich zu spät bin. Aber ich habe noch mit meiner Chefin ...................... .

Und dann habe ich auch noch die S-Bahn ...................... .

● Komm, wir müssen rein. Der Film hat schon ...................... .

**b** ■ Du schau mal, ich habe einen Brief von Julia ...................... .

▼ Und was hat sie geschrieben?

■ Na ja, sie hat auf ihrer Reise in Südamerika total viel ...................... . Aber lies selbst!

## 15 *Früher wollte Max ... Heute will Max ...*
### Ergänzen Sie *können, müssen, wollen, haben, sein* in der richtigen Form.

Früher ...

**a** *wollte* ........... er Fußballer werden.

**b** ...................... er viel Freizeit.

**c** ...................... er abends oft in Diskotheken.

**d** ...................... er lange Reisen machen.

**e** ...................... er nur Geld für sich selbst verdienen.

Heute ...

**a** ...................... er Professor an einer Universität werden.

**b** ...................... er nur noch wenig Freizeit.

**c** ...................... er abends meist zu Hause.

**d** ...................... er nur noch Kurzurlaube machen.

**e** ...................... er das Geld für die ganze Familie verdienen.

---

**16** *Sie sollten ...*
**Schreiben Sie.**

**a** Am Wochenende ist sehr viel Verkehr auf der Autobahn. Nehmen Sie den Zug.
*Sie sollten den Zug nehmen.*

**b** Augsburg ist eine schöne Stadt. Besuch sie mal.
...........................................................................................................

**c** In zwei Wochen ist Stadtfest in Lamstein. Geht doch auch hin!
...........................................................................................................

---

**17** **Ergänzen Sie** *hätte – wäre – würde.*

**a** Marion sitzt zu Hause und macht Hausaufgaben, aber sie *wäre* lieber im Schwimmbad.

**b** Paul hat keinen Hund, aber er ..................... gern einen Hund.

**c** Leonie muss mit ihren Eltern wandern gehen, aber sie ..................... lieber mit einer Freundin spielen.

**d** Florian muss sein Zimmer aufräumen, aber er ..................... lieber auf dem Fußballplatz.

**e** Julian hat kein Handy, aber er ..................... gern eins.

**f** Marlene geht zu Fuß zu ihrer Oma, sie ..................... aber lieber mit dem Rad fahren.

---

**18** *Die Karte wird zurückgegeben ...*
**Schreiben Sie.**

So funktioniert ein Geldautomat:

**ⓐ** EC-Karte in den Geldautomaten stecken

**ⓑ** Geheimzahl eintippen

**ⓒ** grüne Taste „Bestätigung" und die Taste „Auszahlung" drücken

**ⓓ** Geldbetrag wählen

**ⓔ** grüne Taste noch einmal drücken

**ⓕ** Der Automat gibt die Karte zurück.

**ⓖ** Der Automat gibt das Geld heraus.

**ⓗ** Geldscheine in den Geldbeutel stecken

**a** *Die EC-Karte wird in den Geldautomaten gesteckt.*

**b** ...........................................................................

**c** ...........................................................................

**d** ...........................................................................

**e** ...........................................................................

**f** *Die Karte wird zurückgegeben.*

**g** ...........................................................................

**h** ...........................................................................

---

**19** **Schreiben Sie Sätze mit** *lassen.*

reparieren ● machen ● wechseln ● ausstellen ● schneiden

**a** ● Papa, mein Fahrrad ist kaputt.
■ Oh je, wir müssen es *reparieren lassen* .

**b** ● Deine Haare sehen nicht gut aus! Du musst sie ...........................................

**c** ▲ Wissen Sie, wo man hier Passbilder bekommt?
■ Gehen Sie zu Foto Schulz. Da können Sie welche ...........................................

**d** ▲ Die Autoreifen sind schon sehr alt.
▼ Du solltest sie ...........................................

**e** ◆ Ich habe meine EC-Karte verloren.
■ Sie können sich eine neue ...........................................

## 20 Ergänzen Sie *rein – raus – runter – rauf – rüber*.

**a** Toni, geh bitte schnell zur Nachbarin .*rüber*........... und bitte sie um ein bisschen Zucker.

**b** Kinder, kommt bitte ...................... . Es ist jetzt zu kalt draußen.

**c** Julian, bist du verrückt? Komm bitte sofort vom Baum ......................! Das ist doch gefährlich.

**d** Der Regen hat aufgehört. Komm, wir gehen ...................... und fahren ein bisschen Fahrrad.

**e** Kommt doch auch ...................... . Hier vom Balkon aus hat man einen wunderbaren Blick.

## 21 Ergänzen Sie *worüber, darüber, wofür, dafür, worauf, darauf, wovon, davon*.

**a** ■ Und .*wofür*................interessierst du dich?

◆ ........................... Politik und Geschichte.

■ Schön, denn ........................... interessiere ich mich auch sehr.

**b** ● Sollen wir noch in eine Kneipe gehen? Oder ........................... hast du jetzt Lust?

▲ Ich hätte Lust ........................... ein........... Spaziergang.

● Nein, also ........................... habe ich jetzt keine Lust. Es ist viel zu kalt draußen.

**c** ▼ ........................... habt ihr denn noch so lange gesprochen?

▲ ........................... unser........... Arbeit.

**d** ◆ Und ........................... träumst du?

● ........................... ein........... Woche Urlaub ohne Telefon und E-Mails.

**e** ■ Was ist denn los? ........................... ärgerst du dich denn so?

▼ ........................... d........... Brief hier. Lies mal.

## 22 Ergänzen Sie.

Im Urlaub will ich ...

**a** ... mich nicht mehr .*über*........... meine Arbeit ärgern.

**b** ... nicht ...................... mein........... Chef denken.

**c** ... mich ...................... mein........... Freunden treffen.

**d** ... mich endlich mal wieder ...................... mein........... alten Schulfreunden verabreden.

**e** ... mich nicht ...................... d........... Haushalt kümmern.

## 23 Ergänzen Sie.

**a** ■ Sind deine Eltern denn mit d*einen*.. Noten nicht zufrieden?

◆ Nein, überhaupt nicht.

**b** ● Kommst du mit uns zum Joggen?

▲ Nein danke. Ich habe heute keine Lust auf anstrengend........... Sport. Es ist viel zu heiß!
Ich gehe lieber spazieren.

**c** ■ Sag mal, kennst du den Mann da vorn? Den mit der Jeans und dem schwarzen Pullover?

▼ Ja, ich kenne ihn, aber ich erinnere mich im Moment nicht an sein........... Namen.

**d** ■ Wo würdest du denn gern wohnen?

◆ Ach, ich träume von ein........... Häuschen im Grünen.

**e** ▲ Kommen Sie mit zum Bus?

◆ Nein, ich warte hier noch auf mein........... Freundin.

**24** **Wo? – Wohin?**
**Ergänzen Sie** *an – auf – in – zwischen.*

**a** ■ Haben Sie meine Brille gesehen?

● Ja, sie liegt dort *auf dem* .................. Tisch.

**b** ▲ Hast du meinen schwarzen Pullover gesehen? Er hat gestern noch hier ........................... Sofa gelegen.

▼ Ja, ich habe ihn ........................... Schrank gelegt.

**c** ■ Wer hat denn dieses schreckliche Foto dort ........................... Wand gehängt?

◆ Ich. Ich finde es schön.

**d** ● Und wohin soll ich die Stehlampe stellen?

▲ Stell sie doch ........................... Bett und ........................... Schreibtisch. Da brauchst du sie am meisten.

**e** ■ Wo ist denn die Katze?

◆ Schau mal in die Küche. Sie liegt dort am liebsten in der Ecke ........................... Teppich.

**25** **Wo? – Wohin? – Woher?**
**Ergänzen Sie.**

**a** Im Urlaub waren wir …

*in den* .......... Alpen, ..................... Bodensee, ..................... Italien, ..................... Insel Mallorca, ..................... Türkei, ..................... meinen Eltern ..................... Land, ..................... Norden, ..................... Hause.

**b** Heute Abend gehe ich …

..................... Kino, ..................... meinem Freund, ..................... Restaurant, ..................... Hause.

**c** Sie kommt gerade …

..................... Arzt, ..................... Büro, ..................... Strand, ..................... ihrer Schwester, ..................... Restaurant, ..................... Gebirge, ..................... Österreich.

**26** **Wo ist …? Wie komme ich …?**
**Ergänzen Sie** *gegenüber – an … vorbei – durch – entlang – um … herum – über – bis zu.*

**a** ■ Entschuldigung. Wo ist denn das Stadttor-Kino bitte?

▲ Gehen Sie immer diese Straße *entlang* .......... . Am Ende sehen Sie den Bahnhofsplatz. Gehen Sie ..................... den Bahnhofsplatz und dann gleich die nächste Straße links ..................... der nächsten Kreuzung. Da sehen Sie dann schon das Kino.

**b** ■ Wenn du zum Supermarkt fährst, kommst du doch ..................... der Post ..................... . Da könntest du mir doch bitte Briefmarken mitbringen.

◆ Wo ist da eine Post?

■ In der Bergstraße, direkt ..................... dem großen Kino.

◆ Ach ja. Klar mach ich das. Wie viele brauchst du denn?

**c** ▼ Wenn ich zum Flughafen möchte, muss ich dann ..................... die ganze Stadt fahren?

▲ Nein, das dauert viel zu lange. Fahr lieber auf der Autobahn ..................... die Stadt ..................... . Das geht viel schneller.

**27** *Ohne – von ... an – über*
**Wie können Sie noch sagen? Ergänzen Sie.**

**a** Die Zugfahrt von Berlin nach München dauert mehr als fünf Stunden. → Sie dauert *über* .............. fünf Stunden.

**b** Ab 1.11. fahren keine Schiffe mehr auf dem Tegernsee. → ..................... 1.11. ..................... fahren keine Schiffe mehr.

**c** Er fährt nur mit seiner Familie in Urlaub. → Er fährt nie ..................... seine Familie in Urlaub.

**d** Wir waren drei bis vier Stunden unterwegs. → Wir waren ..................... drei Stunden unterwegs.

**e** Der neue Fahrplan gilt ab Januar. → ..................... Januar ..................... gilt der neue Fahrplan.

---

**28** **Ergänzen Sie *weil*, *denn* oder *deshalb*.**

**a** ● Warum bist du gestern nicht gekommen? ■ *Weil* .............. ich krank war.

**b** Ich brauche eine Pause. ..................... mache ich einen kleinen Spaziergang.

**c** Ich bin zu spät gekommen, ..................... mein Bus hatte Verspätung.

**d** ◆ Warum weinst du? ▲ ..................... ich meine Puppe verloren habe.

**e** Ich kann mir kein Eis kaufen, ..................... ich habe kein Geld dabei.

**f** Ich habe leider kein Auto mehr. Ich komme ..................... mit der U-Bahn.

---

**29** *deshalb – weil – trotzdem – wenn*
**Kreuzen Sie an.**

**a** Ich habe zu wenig geschlafen. ..................... bin ich noch so müde.

**b** Ich muss jetzt ein Geschenk kaufen, ..................... meine Mutter Geburtstag hat.

**c** Ich hole Geld am Geldautomaten, ..................... die Bank geschlossen ist.

**d** Ich freue mich, ..................... du kommst.

**e** Ich bin sauer, ..................... du immer zu spät kommst.

**f** Ich habe eigentlich keine Zeit mehr. ..................... helfe ich dir noch schnell.

|          | a | b | c | d | e | f |
|----------|---|---|---|---|---|---|
| deshalb  | x |   |   |   |   |   |
| weil     |   |   |   |   |   |   |
| trotzdem |   |   |   |   |   |   |
| wenn     |   |   |   |   |   |   |

---

**30** **Ergänzen Sie *wann – was – wo – wie viele – wie lange – warum*.**

**a** Kannst du mir sagen, *warum* .............. du nicht gekommen bist?

**b** Ich möchte wissen, ..................... das Konzert endlich beginnt!

**c** Wissen Sie, ..................... hier ein Geldautomat ist?

**d** Ich frage mich, ..................... die Fahrt noch dauert.

**e** Können Sie mir bitte sagen, ..................... ich hier eintragen muss?

**f** Es würde mich interessieren, ..................... Menschen in dieser Stadt wohnen.

---

**31** *dass* oder *ob*?
**Was ist richtig? Kreuzen Sie an.**

**a** Ich glaube, ☒ dass ☐ ob es bald regnet.

**b** Ich habe gefragt, ☐ dass ☐ ob der Bus bald kommt.

**c** Kannst du mir sagen, ☐ dass ☐ ob wir noch genug Geld haben?

**d** Ich wünsche mir, ☐ dass ☐ ob du bald wiederkommst.

**e** Ich habe nicht gewusst, ☐ dass ☐ ob du schon 18 Jahre alt bist.

**f** Ich frage mich, ☐ dass ☐ ob sie den richtigen Weg findet.

**CD3** 30

## 1 Medien im Alltag

**a** Worüber sprechen die Leute? Hören Sie fünf Gespräche. Welches Gespräch passt zu welchem Bild? Ergänzen Sie.

**A** 3

Metropol

Novemberkind 20:30
Erste Küsse 21:00
Effi Briest 22:00

Filme im Kino

**B** ☐

Lokale Radiosender

**C** ☐

| 20:00 | IDŐJÁRÁS-JELENTÉS |
| 20:10 | TŰZVONALBAN (magyar tévéfilmsorozat, 10. rész) |
| 22:15 | AZ ESTE – *Péntek* Benne: Híradó |
| 23:15 | TELESPORT – Bajnokok Ligája labdarúgó mérkőzés |

Ausländische Fernsehsender

**D** ☐

Nachrichten im Fernsehen

**E** ☐

Sportzeitschriften

**CD3** 30

**b** Was möchten die Leute sehen, lesen oder hören? Ordnen Sie zu und hören Sie dann noch einmal.

Gespräch 1 ⎫ Berichte über internationalen Fußball
Gespräch 2 ⎪ Erste Küsse, 21 Uhr im Metropol
Gespräch 3 ⎬ Nachrichten im Ersten um acht
Gespräch 4 ⎪ Nachrichten aus der Region
Gespräch 5 ⎭ Ungarisches Fernsehen über Kabel oder Satellit

## 2 Was passt? Ordnen Sie zu.

**1** Wo läuft der Film „Erste Küsse"?
**2** Ich suche eine Zeitung mit dem Freizeitprogramm für Sonntag.
**3** Wie wird denn das Wetter heute Abend bei uns?
**4** Wo gibt es im Fernsehen gute Kinderprogramme?
**5** Und wann fängt der Spätfilm im Kapitol-Kino an?
**6** Auf welchem Sender kommt der „Tatort"?
**7** Welche Zeitung berichtet über das Fußballspiel von gestern?

**a** Keine Ahnung. Aber mach mal das Lokalradio an. Da kommen gleich Nachrichten.
**b** Ich weiß nicht, ich glaube im Ersten oder auf WDR 3. Ich schau mal nach.
**c** Im Metropol-Kino. Er fängt um 21 Uhr an.
**d** Ich glaube, da gibt es einen Bericht im Traunstedter Tagblatt.
**e** Um 23 Uhr – da müssen wir jetzt bald los! Es ist schon halb elf.
**f** Nehmen Sie die Rasthofer Presse, die hat einen Extra-Teil für das Wochenende.
**g** Im Kinderkanal. Da gibt es auch keine Werbung.

## 3 Wählen Sie eine Situation und spielen Sie.

> Sie sind in einem Zeitschriftenladen und möchten eine Modezeitschrift kaufen.

> Sie möchten am Samstag ins Kino gehen. Sie möchten wissen, welche Filme laufen.

> Sie haben am Freitagabend noch nichts vor. Sie schauen gern Quizshows im Fernsehen.

> Sie möchten sich informieren, wie bei Ihnen das Wetter am Wochenende wird.

▸ *Sich über Medien informieren*
*Auf welchem Sender kommt ...  Ich suche ...   Wo läuft ...?*
*Wann fängt ... an?   Welche Zeitung ... ?  Gibt es ... ?* ◢

········▸ PROJEKT

**1**   **Computer und Internet: Sprechen Sie.**

Haben Sie einen Computer? Haben Sie Internet?
Wenn ja: Wofür nutzen Sie den Computer?
Und das Internet?

spielen ● Mails schreiben ● telefonieren ● arbeiten ● ...

> Also ich habe Internet.
> Meistens chatte ich
> mit Freunden.

> Ich schreibe nur
> Mails an meine
> Freunde in ...

**2**   **Zeichen auf dem Bildschirm**

**a**   Was bedeuten die Zeichen unten? Ordnen Sie die Sätze zu.

Hier können Sie ...

**1** sehen, wie der Text gedruckt aussieht.
**2** Ihre Datei (Text/Bild) auf Festplatte speichern.
**3** Ihren Text oder Ihr Bild ausdrucken.
**4** Ihren Text oder Ihr Bild ausschneiden/kopieren.
**5** einen Text oder ein Bild öffnen.
**6** Texte oder Textteile an einer anderen Stelle wieder einfügen.
**7** In diesem Menü können Sie Ihre Texte individuell gestalten.

☐    ☐    ☐    ☐    ☐    ☐    ☐

**b**   Was kennen Sie schon? Welche Zeichen finden Sie noch wichtig? Zeichnen und erklären Sie.

**3**   **Sicherheit für Ihre Daten und im Internet.**

**a**   Lesen Sie die Tipps und ordnen Sie zu.

**1** Vorsicht: Nicht jede Mail öffnen
**2** Wichtige Daten immer speichern
**3** Nicht ohne Antiviren-Programm ins Internet

> **So ist Ihr Computer sicher!**
>
> ☐ Sichern Sie Ihre wichtigen Dateien und Bilder auf dem Computer und auf einem anderen Medium,
>    z.B. Memorystick, externe Festplatte oder CD-ROM. Wenn der Computer kaputtgeht, sind alle Daten weg.
> ☐ Wichtig fürs Internet oder für E-Mails: Sie brauchen ein Anti-Viren-Programm.
>    Ohne ein Anti-Viren-Programm sind Ihre Programme und Daten schnell kaputt.
> ☑ Wichtig für E-Mails: Öffnen Sie keine E-Mails, wenn Sie sich nicht sicher sind. Kriminelle wollen Ihre Daten
>    (Adresse, Telefon, Bankverbindung) und Ihr Geld.

**b**   Irina Korschunowa hat fünf E-Mails bekommen. Welche E-Mails sollte sie nicht öffnen? Kreuzen Sie an.

| | Posteingang | | An ⬍ enthält ⬍ Suchen |
|---|---|---|---|
| | Vom | Von | Betreff |
| ☐ | 7. April 2... | calypso jorden | Sie haben gewonnen!!! |
| ☐ | 6. April 2... | Jan Korschunow | Danke für die Fotos |
| ☐ | 5. April 2... | jean kraemer | Rreeplica Swwisss Watches |
| ☐ | 5. April 2... | newsletter@sparstadt.de | Newsletter April |
| ☐ | 5. April 2... | Ihrkonto@hypervereinsbank.de | Wichtig!!! Neue PIN für Ihr Girokonto |

**c**   Welche E-Mails sind gefährlich? Was kann passieren? Sprechen Sie.

> Ich kenne den Namen nicht.
> Dann öffne ich die Mail nicht.

> Die Bank fragt in einer E-Mail nicht
> nach einer PIN-Nummer. Die ist geheim.

> Wenn man nicht sicher
> ist: Lieber nicht öffnen.

## 1 Hilfe! Die Jacke ist viel zu groß!

Isolde Grau hat beim Heidl-Versand eine Jacke bestellt.
Sie möchte die Jacke aber nicht kaufen und schickt sie deshalb zurück.

**a** Füllen Sie das Rücksendeformular für Isolde Grau aus:
Welche Nummer muss sie eintragen?

**b** Was muss Isolde mit diesem Formular machen?

Rücksendung an HEIDL VERSAND
Postfach, 76114 Freiburg

Kunde: **Isolde Grau**    Kunden-Nr.: **3786 3547 90**
**Langer Weg 12**
**41517 Grevenbroich**

| Artikelbezeichnung: | Bestell-Nr.: | Größe: | Menge: | Warenwert: |
|---|---|---|---|---|
| *Jacke grün* | *153 193 2* | *42* | *1* | *65,90* |
| | | | | |
| | | | | |

Legen Sie diesen Schein bitte
Ihrer Rücksendung bei! Danke!

Bitte hier die Nummer Ihres
Rücksendegrundes eintragen

**Rücksendegrund**

| Qualität | Artikel beschädigt / zerbrochen | 12 |
|---|---|---|
| | Materialfehler | 13 |
| Artikel passt nicht | zu weit / zu groß / zu lang | 21 |
| | zu eng / zu klein / zu kurz | 31 |
| Katalogabbildung | Artikel anders als beschrieben / abgebildet | 41 |
| Lieferung / Bestellung | zu spät / falsch geliefert | 51 |
| | falsch bestellt | 61 |
| Artikel gefällt nicht | | 71 |

9 783190 017041

## 2 Viel zu viele Zeitungen!

Hermann Grau hat seit zwei Jahren eine Tageszeitung abonniert. Nun ist ihm das zu teuer.
Er bestellt das Abonnement ab. Ergänzen Sie den Brief.

~~Sehr geehrte Damen und Herren~~ ● Bitte bestätigen Sie mir diese Kündigung. ●
Kündigung Abonnement / Kundennummer 23.0987 ● Mit freundlichen Grüßen ●
hiermit kündige ich mein Abonnement, Kundennummer 23.0987 zum nächstmöglichen Termin.

Hermann Grau · Langer Weg 12 · 41517 Grevenbroich

**Grevenbroicher Abendblatt**
Am Markt 12
41515 Grevenbroich

Grevenbroich, 12.04. ...

................................................................

*Sehr geehrte Damen und Herren,*..........................................

................................................................

................................................................

................................................................

................................................................

................................................................

................................

*Hermann Grau*

31

**1** **Herr Mazzulo ist im Elektrogeschäft Zenit. Hören Sie das Gespräch.**

**a** Was kauft Herr Mazzullo? Kreuzen Sie an.

einen Fernseher ☐    eine Waschmaschine ☐    eine Spülmaschine ☐

**b** Ergänzen Sie den Vertrag.

---

**ELEKTRO ZENIT ELEKTRO ZENIT ELEKTRO ZENIT ELEKTRO ZENIT**

**Kaufvertrag KV 5839**

Verkäufer: _Dennis Butnikowski_........................................................................

Käufer: _Ricardo Mazzullo_..........................................................................

Lieferadresse: _Tellstr. 5, 90409 Nürnberg_.........................................................

Telefon tagsüber: _—_...........................................................................................

Mobiltelefon: ...................................................................................................

Kaufgegenstand: ...................................................................................................

Lieferung: ☐ Ja  ☐ Nein        Preis: ...............................

Tag/Uhrzeit: wird telefonisch vereinbart.

Selbstmontage: ☐ Ja  ☐ Nein

Anschluss/Aufstellen des Geräts: ☐ Ja  ☐ Nein

Abholung Altgerät: ☐ Ja  ☐ Nein

Preis: ..............................

Anzahlung: ..............................

Restzahlung: bei Anlieferung ..............................

Zahlungsmodalität: ☐ bar      ☐ per Nachnahme ☐ Überweisung
☐ Kreditkarte ☐ EC Karte

........................................        ........................................

Datum / Unterschrift Käufer        Datum / Unterschrift Verkäufer

---

**2** **Welche Sätze passen? Ordnen Sie zu.**

**a** Zahlungsmodalitäten        **1** Sie müssen jetzt gleich ... Euro zahlen. Den Rest dann später.
**b** Anzahlung        **2** Bauen Sie das Gerät selbst auf?
**c** Restzahlung        **3** Und ... Euro zahlen Sie, wenn wir liefern.
**d** Lieferadresse        **4** Wie bezahlen Sie? Bar oder per Kreditkarte?
**e** Selbstmontage        **5** Sollen wir Ihr altes Gerät mitnehmen?
**f** Abholung Altgerät        **6** Und wohin sollen wir liefern?
**g** Lieferzeit        **7** In zwei bis drei Wochen liefern wir die/das/den ...

**3** **Rollenspiel: im Elektrogeschäft**

Sie sind im Elektrogeschäft Zenit und kaufen eine Waschmaschine, einen Fernseher,
ein DVD-Player ...
Spielen Sie die Gespräche. Die Sätze/Wörter in Aufgabe 2 helfen Ihnen.

| Sie kaufen eine Waschmaschine / einen Fernseher / einen DVD-Player ... | Sie sind der Verkäufer / die Verkäuferin. |

## 1  Lesen Sie den Text und ergänzen Sie.

Das ist Gülseren Yilmaz. Sie ist 23 Jahre alt und in Trabzon geboren. Als Jugendliche hat sie schon mal in Österreich gelebt. Dann war sie wieder einige Jahre lang in der Türkei und hat dort auch ihren Führerschein gemacht. Seit sieben Monaten lebt und arbeitet sie in Erfurt. Frau Yilmaz weiß noch nicht, dass sie in Deutschland mit ihrem türkischen Führerschein nur sechs Monate lang fahren darf.

Name: *Gülseren Yilmaz*...............................................

Alter: ...........................................................................

Wo geboren? ..............................................................

Wo Führerschein gemacht? .........................................

Aktueller Wohnort? ....................................................

Seit wann? ..................................................................

## 2  Kein guter Tag für Gülseren! Hören Sie Gespräch 1.

CD3 32

**a**  Was ist passiert? Was ist richtig? Kreuzen Sie an.

1  ☐ Gülseren hat keinen Führerschein.
   ☐ Gülserens Führerschein ist nicht mehr gültig.

2  ☐ Sie muss eine Strafe zahlen.
   ☐ Sie muss auf die Meldebehörde.

3  ☐ Sie darf weiterfahren.
   ☐ Sie muss sofort zur Polizeistation fahren.

**b**  Die Polizistin ist nicht sehr freundlich zu Gülseren Yilmaz.
Was kann Frau Yilmaz in dieser Situation sagen?

> Na hören Sie mal, wie reden Sie denn mit mir? Das kann man auch höflich sagen.

☒ Warum sind Sie so unhöflich zu mir?
☐ Das habe ich nicht gewusst!
☐ Seien Sie doch nicht so unfreundlich.
☐ Warum sprechen Sie nicht mit mir?
☐ So ein Quatsch.
☐ Sie könnten auch etwas freundlicher sein.
☐ Das stimmt doch nicht.

33

**3** **Hören Sie Gespräch 2. Ordnen Sie zu.**

ein Problem ● gilt nicht mehr ● Wo muss ● deutschen Führerschein

**a** Ich habe .................................................... .

**b** Mein türkischer Führerschein

.................................................... .

**c** Ich brauche einen .................................................... .

**d** Was muss ich tun?

.................................................... ich hin?

34

**4** **Hören Sie Gespräch 3. Gülseren Yilmaz muss ihren
türkischen Führerschein „umschreiben" lassen.**

**a** Muss Herr Schnabel Frau Yilmaz beraten? Kreuzen Sie an.

☐ Für öffentliche deutsche Behörden gibt es eine „Beratungspflicht",
das heißt: Herr Schnabel muss Frau Yilmaz beraten.

☐ Nein, er muss sie nicht beraten, denn Frau Yilmaz
kann sich auch im Internet informieren.

**b** Was braucht sie alles? Markieren Sie.

eine Anmeldebestätigung der Fahrschule ●
eine Bestätigung der Volkshochschule ●
ihren Pass ● die Erlaubnis des Arbeitgebers ●
ein Passfoto ● Geld ● ein Familienfoto ●
den „Deutsch-Test für Zuwanderer" ●
eine Übersetzung des Führerscheins ins Deutsche ●
ihren alten Führerschein ● die Versicherungsnummer

**5** **Was passt? Kreuzen Sie an.**

**a** Ich möchte ...
☐ die Frist
☐ das Passfoto      verlängern.
☐ den Führerschein

**b** ☐ Die Information
☐ Der Pass      ist ungültig.
☐ Der Führerschein

                                    ☐ abgeben?
**c** Wo kann ich den Führerschein ☐ umschreiben lassen?
                                    ☐ anmelden?

·······▶ PROJEKT

## 1 Rund ums Auto. Ordnen Sie zu.

**1 KAUFVERTRAG**

Verkäufer (privat) | Käufer
Name, Vorname
Meierhofer, Wolfgang | Bernardo, Espinoza
Straße
Geyerstr. 24 | Straße OHOstr. 112
PLZ, Ort
80469 München | PLZ, Ort 80266 München
Geburtsdatum / Telefon
21.3.61 6724123 | Geburtsdatum 30.6.72 / Telefon 8912 112
Kraftfahrzeug | Personal- bzw. Pass-Nr. 8462082858
Hersteller
Ford
Fahrzeug-Ident.-Nr.
WFOBXXWDRCY 248 | Amtl. Kennzeichen M-GG 8191

**2 Jeden Samstag 9-15 Uhr**
**Automarkt im Autokino Aschheim**

**FORD**

**Focus Turnier Finesse, 1.6 l**
Bj. 09/2008, 10'km, 90 PS, blaumet.,
Klima, ABS, ZV, 8 x bereift, VB 14.250.-
☎ 089 / 6724123

Euro-Neufahrzeuge ☎ 089 / 11 11 23

**3** Europäische Gemeinschaft
Bundesrepublik Deutschland
Zulassungsbescheinigung Teil II
(Fahrzeugbrief)

Diese Bescheinigung nicht im Fahrzeug aufbewahren

M-GG 8191

Meierhofer

Wolfgang

Der Inhaber der Zulassungsbescheinigung wird nicht als Eigentümer

**4 SICA-TRANS**
Autoversicherungen
Maximale Sicherheit

In Deutschland sind Sie als Halter eines
Kraftfahrzeuges verpflichtet, eine Haftpflichtversicherung abzuschließen. Sie schützt Sie
vor finanziellen Ansprüchen Dritter nach
einem Unfall. Das können Sach-, Personen-
oder Vermögensschäden sein. Schäden, an
Ihrem Fahrzeug können Sie mit einer
Teilkasko- oder einer Vollkasko-Versicherung
finanziell absichern.

**5 Zulassungsbescheinigung Teil I**
(Fahrzeugschein)
Nr.
Europäische D Bundesrepublik
Gemeinschaft Deutschland
M-GG 8191

**6** M-GG 8191 / M-GG 8191

☐ das Autokennzeichen  
☑ der Kaufvertrag  
☐ die Zulassungsbescheinigung Teil II (Fahrzeugbrief)  
☐ Anzeige im Kfz-Markt  
☐ die Zulassungsbescheinigung Teil I (Fahrzeugschein)  
☐ der Werbeprospekt

## 2 Bernardo möchte ein gebrauchtes Auto kaufen. Was muss er tun? Bringen Sie die Schritte beim Autokauf in die richtige Reihenfolge.

☐ Wenn er das Auto kaufen möchte, macht er mit dem alten Besitzer einen Kauf-vertrag. Wichtig: Der Besitzer muss ihm auch die Zulassungsbescheinigung Teil II (Fahrzeugbrief) übergeben.

☑ Als Autobesitzer muss er seinen Pkw versichern. Die Preise der Versicherungen können aber recht unterschiedlich sein. Er sollte deshalb die Angebote der einzelnen Versicherungen vergleichen.

☐ Er sollte Kontakt mit dem Besitzer aufnehmen und einen Besichtigungstermin vereinbaren. Er sollte auch, wenn möglich, eine Probefahrt machen und auch darauf achten, wie lange das Auto noch TÜV hat.

☐ Die Zulassungsstelle stellt ihm dann die Zulassungsbescheinigung Teil I (Fahrzeugschein) aus. Außerdem erhält er dort auch das Kennzeichen.

☑ Zuerst sucht er ein passendes Auto. Zum Beispiel kann er die Anzeigen im Kfz-Markt einer Zeitung lesen. Natürlich kann er auch zum Autohändler gehen.

☐ Als Nächstes muss er das Auto anmelden. Dafür geht er zur Zulassungsstelle. Er sollte die Zulassungsbescheinigung Teil II (Fahrzeugbrief), seinen Personalausweis, Geld für die Gebühren und die Papiere der Autoversicherung mitbringen.

## 3 Haben Sie schon selbst ein gebrauchtes Auto gekauft? Oder ein Fahrrad? Erzählen Sie.

Ich habe vor ein paar Monaten ein Auto gekauft. Ich habe die Anzeigen in der Zeitung gelesen.

Also, ich habe kein Auto. Aber ich würde gern eins kaufen, aber nur bei einem Autohändler.

Ich habe für die Kinder Fahrräder gekauft. Die waren gebraucht, aber sie sind völlig in Ordnung.

→ PROJEKT

**1** **Was ist Lisa passiert? Lesen Sie. Welches Bild passt? Kreuzen Sie an.**

Hallo Kerstin,
tut mir leid, dass ich mich erst heute melde. Du glaubst nicht, was mir
passiert ist: Gestern wollte ich zum Einkaufen in die Stadt fahren. An einer
Kreuzung musste ich anhalten. Die Ampel war rot. Dann hat die Ampel
auf Grün geschaltet. Ich bin angefahren, da hat das Auto vor mir plötzlich
gebremst: Eine Katze ist über die Straße gelaufen. Ich konnte natürlich
nicht mehr bremsen oder ausweichen und bin auf das Auto aufgefahren.
So ein Mist! Du kannst Dir denken, dass ich jetzt jede Menge Ärger habe:
Versicherung informieren, Auto in die Werkstatt bringen ...
Aber zum Glück ist es ja nur ein Blechschaden. Der Frau in dem anderen
Auto, der Katze und mir geht es gut. Sehen wir uns morgen im City Dance?
Liebe Grüße
Lisa

**2** **Was ist richtig? Lesen Sie noch einmal und kreuzen Sie an.**

**a** Die Ampel hat auf Grün geschaltet.
Die Ampel ☐ hat von Rot zu Grün gewechselt. ☐ ist Grün geblieben.

**b** Ich bin angefahren.
Ich bin ☐ langsam losgefahren. ☐ schnell gefahren.

**c** Ich bin auf das Auto aufgefahren.
Ich bin ☐ auf das Auto links/rechts gefahren. ☐ auf das Auto vor mir gefahren.

**d** Es ist ein Blechschaden.
☐ Personen sind verletzt. ☐ Das Auto ist kaputt.

**3** **Was erzählen die Leute dem Polizisten? Ordnen Sie zu.**

Ich wollte parken. Die Parklücke
war sehr klein. Da habe ich das
Auto neben mir gestreift. ☐

Ein Radfahrer ist ohne Licht aus einem Hof gekommen.
Es war schon dunkel. Deshalb konnte ich den Radfahrer
nicht sehen und habe sein Vorderrad gestreift. ☐

Ich war Richtung Stadtmitte unterwegs.
An der Straße haben Autos geparkt.
Plötzlich hat ein Autofahrer die Tür aufge-
macht. Ich konnte nicht mehr ausweichen. ☐

Ich bin mit dem Fahrrad von rechts
gekommen, ich durfte also fahren. Der
andere Radfahrer hat aber nicht angehalten.
Deshalb sind wir zusammengestoßen. ☐

**4** **Was sagen Sie dem Polizisten? Sprechen Sie.**

ein Radfahrer vor mir plötzlich bremsen ➜
nicht mehr anhalten können ➜
das Hinterrad vom Fahrrad streifen

mit dem Rad nach Hause fahren ➜
anderer Radfahrer ohne Licht von rechts
kommen ➜ zusammenstoßen

auf der Autobahn fahren ➜ das Stauende
nicht sehen ➜ auf einen Lkw auffahren

durch einen Wald fahren ➜ plötzlich ein Hase
über die Straße laufen ➜ ausweichen wollen ➜
an einen Baum fahren

Samira geht ab September in die Gesamtschule und braucht eine Schülermonatskarte. Ihre Mutter füllt das Formular aus.

CD3 35

**1** Hören Sie ein Gespräch zwischen Samira und ihrer Mutter und ergänzen Sie das Formular.

## Bestellschein – Kundenkarte für Schüler

**Persönliche Angaben**

[X] Frau    [ ] Herr

Name, Vorname: AYED SAMIRA
Straße, Hausnummer: SONNENALLEE 124
PLZ, Ort: 12047 BERLIN

**Ausbildungsstelle / Schule**

Ausbildungsstelle ORANIEN GESAMTSCHULE
Straße, Hausnummer
PLZ, Ort

**Angaben zu Tarif und Geltungsdauer***

[ ] Ausbildungstarif I (bis 14 Jahre)    [ ] Ausbildungstarif II (ab 15 Jahre)    Geltungsdauer: von 20 bis 31.07.20

**Fahrtstrecke***

von Haltestelle PANNIERSTR    zu Haltestelle MORITZPLATZ
Umsteigehaltestelle HERMANNPLATZ

[ ] S-Bahn:
[ ] U-Bahn:
[ ] Bus:

Berlin 12.7.09 HANNEN AYED
Ort, Datum, Unterschrift    Stempel der Ausbildungsstelle    * Zutreffendes bitte ankreuzen

**2** Frau Ayed möchte ihrer Nichte ein *Tierfreund*-Abonnement zum Geburtstag schenken. Füllen Sie das Formular aus.

Geltungsdauer • Auftraggeber • Zahlungsart • Lieferadresse

### Werden Sie ein TIERFREUND

[ ] Probe-Abo (3 Monate zum Preis von nur € 14.95)      [ ] Geschenk-Abo (1 Jahr zum Preis von € 85,-)

Name: Ayed      Name: Ayed
Vorname: Hannen      Vorname: Anna
Straße, Hausnummer: Sonnenallee 124      Straße, Hausnummer: Salinenstraße 17
PLZ, Ort: 12047 Berlin      PLZ, Ort: 99094 Erfurt

*Geltungsdauer* von 01.09 bis 01.12.20

[ ] per Rechnung    [ ] per Bankeinzug

┄┄▶ PROJEKT

# Eine Buchungsbestätigung

**1** **Herr Torello möchte mit seiner Frau nach Salzburg fahren.**

Lesen Sie den Prospekt und das Buchungsformular.
Was ist richtig? Kreuzen Sie an.

**a** Herr Torello macht die Reise nach Salzburg mit seiner Frau Silvana. ☐

**b** Herr und Frau Torello möchten beide in das Mozarthaus gehen. ☐

**c** Herr Torello muss für sich und seine Frau insgesamt 74.- € zahlen. ☐

**d** Herr Torello kann die Reise telefonisch buchen. ☐

### *Salzburger Christkindlmarkt*

*Genießen Sie einen romantischen Spaziergang durch die Mozartstadt Salzburg.*
*Sie haben auch die Möglichkeit, eine Führung durch das Mozarthaus (6.- €) oder eine*
*Stadtrundfahrt (9.- €) zu buchen. Schriftliche Anmeldung bitte bis spätestens 24.11.*

---

**Veranstalter: Brunner - Reisen**

**Kategorie: Advent & Weihnachten, Ziel:** *Salzburger Christkindlmarkt*

**Termine:** ☒ 2.12. ☐ 3.12. ☐ 4.12.

**Hinweis für Ihre Anmeldung**

Mit dem folgenden Formular erstellen Sie eine verbindliche Reiseanmeldung. Geben Sie Ihre Anmeldedaten vollständig an.

**Abfahrtsort:** München Hbf (nördlicher Ausgang)   **Abfahrtszeit:** 8:00 Uhr   **Rückkehr:** ca. 20:00 Uhr

**ANMELDUNG**

|  | Kontakt | Adresse/Telefon |
|---|---|---|
| Reisende/r: | *Torello, Giancarlo* | *Baldestr. 6, 80469 München / 089-2015697* |
| Reisende/r: | *Torello, Silvana* |  |

**Zusatzleistungen***

☒ Stadtrundfahrt (9.- €)   Anzahl Personen: *2*

☒ Führung Mozarthaus (6.- € )   Anzahl Personen: *1*   * bitte ankreuzen

**Preis: 22.- €** (pro Person, Busfahrt ab München Hbf bis Salzburg Hbf ) plus Zusatzleistungen

Alle Preise pro Person. Änderungen und Irrtümer vorbehalten. Bitte beachten Sie die Zusatzleistungen.
Keine Garantie auf Verfügbarkeit. Es gelten die Reisebedingungen des Reiseveranstalters.

---

**2** **Herr Torello hat folgende Bestätigung für seine Buchung erhalten. Aber das Reisebüro hat Fehler gemacht.**

**a** Vergleichen Sie die Anmeldung mit der Buchungsbestätigung. Was hat das Reisebüro falsch gemacht? Markieren Sie die Fehler und korrigieren Sie.

**b** Herr Torello ruft im Reisebüro an. Hören Sie und vergleichen Sie mit Ihrer eigenen Lösung.

Herrn
Giancarlo Torello
Baldestr. 6
80469 München                                          München, 25.11.20..

**Buchungsbestätigung**   / *Torello*

Sehr geehrter Herr Torino,
hiermit bestätigen wir Ihre Buchung vom 21.11. für folgende Leistungen:

| | |
|---|---|
| 1. Busreise „Salzburger Christkindlmarkt" am 4.12. (2 Personen) | 44.- € |
| 2. Stadtrundfahrt Salzburg (2 Personen) | 18,- € |
| 3. Führung Mozarthaus (2 Personen) | 12.- € |
| Preis insgesamt | 74.- € |

Wir bedanken uns für die Buchung und wünschen Ihnen
einen wunderschönen Tag auf dem Salzburger Christkindlmarkt.

⋯⋯⋯➤ PROJEKT

**1** **Was für Versicherungen kennen Sie? Sprechen Sie.**

**2** **Wann braucht man diese Versicherung? Ordnen Sie zu.**

Lebensversicherung

Kfz-Versicherung

Haftpflichtversicherung

**a** Man spart Geld. Das bekommt eine andere Person, wenn man nicht mehr lebt.

**b** Man hat bei einer anderen Person etwas kaputt gemacht.

**c** Man hat mit dem Auto einen Unfall.

**3** **Lesen Sie die Briefe. Kreuzen Sie an.**

**a** Wer hat die Briefe geschrieben?

| | Brief 1 | Brief 2 | Brief 3 |
|---|---|---|---|
| Die Versicherung an eine Person / ein Mitglied | ☐ | ☐ | ☐ |
| Eine Person / Ein Mitglied an die Versicherung | ☐ | ☐ | ☐ |

**b** Welche Versicherungen sind das?

| | | | |
|---|---|---|---|
| Kfz-Versicherung | ☐ | ☐ | ☐ |
| Lebensversicherung | ☐ | ☐ | ☐ |
| Haftpflichtversicherung | ☐ | ☐ | ☐ |

**1**

## Beitragsrechnung

Versicherungsschein
Nr. 801 / 283746 –X-14

Sehr geehrter Herr Körner,

hiermit erhalten Sie die Rechnung für Ihren Beitrag in diesem Jahr:

| Versicherungsart | Kontostand |
|---|---|
| Erlebensfall* Versicherungssumme € 51.129,19 | |
| Todesfall – Versicherungssumme € 50.112,92 | |
| Jahresbeitrag | € 45,13 |

Den Betrag € 45,13 buchen wir Ende März von Ihrem Konto 3456743 ab.

Mit freundlichen Grüßen
Ihre XY Versicherung

\* Der Versicherte bekommt das Geld selber.

**2**

## Kilometerstandsmeldung

Ihre PAV – die Versicherung für alle Fälle
70/012/4059/181

Sehr geehrte Frau Schmitz,

in Ihrem Versicherungsvertrag heißt es: Sie fahren nicht mehr als 12.000 km pro Jahr.

Leider haben wir für das laufende Jahr noch keine Meldung von Ihnen erhalten. Bitte senden Sie uns das Formular in diesem Brief ausgefüllt zurück.

Oder melden Sie uns Ihren Kilometerstand einfach online – schnell und bequem.

Mit freundlichen Grüßen
Ihre PAV-Versicherung

**3**

## Schadensmeldung

Service-Nummer: 495843.2,
Vers.Nr. 32694.8

Sehr geehrte Damen und Herren,

hiermit melden wir einen Schaden für unsere Haftpflichtversicherung.

Unser Sohn, Erwin, hat in der Pause einer Mitschülerin die Brille kaputt gemacht. Von den Eltern des Mädchens haben wir die Rechnung für die neue Brille bekommen. Wir schicken die Originalrechnung mit diesem Brief mit und bitten, dass Sie diese Rechnung bezahlen.

Die Bankverbindung lautet:
Peter Meier, Hypovereinsbank,
BLZ 700 202 70, Kto.Nr. 432 457 222

Mit freundlichen Grüßen
*Ihre Hans und Erika Schmelzer*

**4** **Was ist richtig? Kreuzen Sie an.**

**a** Die Versicherung soll 45,13 Euro an Herrn Körner bezahlen. ☐
Die Versicherung kostet 45,13 Euro pro Jahr. ☐

**b** Frau Schmitz muss in dem Formular schreiben, wie viel Kilometer sie gefahren ist. ☐
Frau Schmitz darf nicht per E-Mail schreiben, wie viel Kilometer sie gefahren ist. ☐

**c** Die Versicherung soll die Brille bezahlen. ☐
Die Versicherung soll eine Rechnung schicken. ☐

------▶ PROJEKT

37

**1** **Frau Gül und ihre erste eigene Wohnung**

**a** Hören Sie das Gespräch. Was ist richtig? Kreuzen Sie an.
1 Frau Gül möchte Informationen über eine Mietwohnung. ☐
2 Sie möchte eine Haftpflichtversicherung abschließen. ☐

37

**b** Was sagt Frau Gül? Ergänzen Sie.
Hören Sie dann noch einmal und vergleichen Sie.
Ich möchte die Versicherung abschließen. ● Und jetzt brauche ich eine Haftpflichtversicherung. ●
Ich habe zum ersten Mal eine Wohnung gemietet. ● Ja, das Angebot klingt gut.

● Alles-Gut-Versicherungen, Wenisch,
was kann ich für Sie tun?
▲ Ja, guten Tag … Mein Name ist Leila Gül.
...................................................................

...................................................................... .
● Glückwunsch!
▲ Äh, danke. ...................................................................

● Also, eine Haftpflichtversicherung müssen
Sie unbedingt haben. Das ist sehr wichtig.
Es gibt verschiedene Tarife. …
...................................................................... .

● So, Frau Gül, das sind also die verschiedenen
Möglichkeiten. Ich denke, für Sie ist die Haftpflichtversicherung für Singles das Beste.
▲ ...................................................................... .

● Also machen wir das dann so?
▲ Ja, einverstanden. ...............................................
...................................... . Welche Informationen
brauchen Sie da von mir?

● Also, zunächst einmal die Anschrift …

38

**2** **Frau Gül ruft noch einmal bei der Versicherung an. Hören Sie das Gespräch und kreuzen Sie an. Was ist richtig?**
Ein Versicherungsnachweis
☐ ist eine Bestätigung, dass man versichert ist.     ☐ ist ein Vertrag per E-Mail.

**3** **Anrufe bei der Versicherung: Was passt? Ordnen Sie zu.**

**a** Ich brauche einen Versicherungsnachweis.
Können Sie mir bitte einen schicken?

**b** Ich habe meine Versicherungskarte verloren.
Wie bekomme ich eine neue?

**c** Ich interessiere mich für Ihr Versicherungsangebot.
Können Sie mir da Informationen senden?

**d** Ich möchte einen Schaden melden.
Bitte senden Sie mir ein Schadensformular.

**1** Das ist kein Problem. Wir stellen einfach
eine neue aus.

**2** Das ist nicht nötig. Wir nehmen das gleich
am Telefon auf. Was ist denn passiert und wann?

**3** Sehr gern. Wenn Sie mir bitte Ihre Adresse
sagen, schicken wir Ihnen unseren Prospekt.

**4** Ja, natürlich. Genügt eine Bestätigung
per E-Mail?

**4** **Rollenspiel. Schreiben Sie Kärtchen wie im Beispiel.**
**Tauschen Sie Ihre Situationen mit einer anderen Gruppe.**

In Ihrer Wohnung ist die Waschmaschine ausgelaufen.
Jetzt brauchen Sie ein Formular von der Versicherung.

Guten Tag, mein Name ist …
Ich habe ein Problem:
Meine Waschmaschine ist
ausgelaufen. Ich …

## 1   Ein Brief vom Schulamt

Ela Akbas hat einen Brief vom Schulamt bekommen.
Überfliegen Sie den Brief. Was muss Ela Akbas tun?

☐ Sie muss sich an einer Schule anmelden.
☐ Sie muss ihren Sohn an einer Schule anmelden.

**L a n d e s h a u p t s t a d t  D r e s d e n · P o s t f a**

Frau
Ela Akbas
Räcknitzstraße 67
01069 Dresden

**Schulanmeldung für das kommende Schuljahr (Meldebestätigung)**

Sehr geehrte Frau Akbas,

Ihr Sohn Latif Akbas wird im kommenden Jahr schulpflichtig.
Bitte melden Sie Ihr Kind an einer von den folgenden Schulen des Schulbezirks an:

Grundschule, Struvestraße 10/11, 01069 Dresden
Grundschule „Josephine", Josephinenstraße 6, 01069 Dresden
Grundschule „Johanna", Pfotenhauerstraße 40, 01307 Dresden
Grundschule „Canaletto", Georg-Nerlich-Straße 1, 01307 Dresden

Die Schulanmeldetage in der Grundschule sind **Donnerstag, der 09.10. und Dienstag,
der 14.10., jeweils zwischen 14.00 und 18.00 Uhr**.

Bitte beachten Sie die Hinweise auf der Rückseite dieses Schreibens.

Mit freundlichen Grüßen
im Auftrag
*Sophie Wagner*

Hinweise
– Bitte bringen Sie für die Schulanmeldung Ihren Personalausweis,
  diese Meldebestätigung und die Geburtsurkunde Ihres Kindes mit.
– Wenn Sie der Pflicht zur Anmeldung Ihres Kindes in einer Grundschule nicht
  nachkommen, kann dies mit einem Bußgeld geahndet werden.

## 2   Lesen Sie den Brief noch einmal. Sind diese Aussagen richtig oder falsch? Kreuzen Sie an.

| | | richtig | falsch |
|---|---|---|---|
| **a** | Latif Akbas muss nächstes Jahr in die Grundschule. | ☐ | ☐ |
| **b** | Er muss die Grundschule „Canaletto" besuchen. | ☐ | ☐ |
| **c** | Ela muss ihren Sohn am 9. oder 14. Oktober anmelden. | | |
| | Wenn sie das nicht tut, muss sie vielleicht eine Geldstrafe zahlen. | ☐ | ☐ |
| **d** | Ela muss zur Anmeldung den Personalausweis von Latif mitbringen. | ☐ | ☐ |

**1**  **Was ist das „Seniorenbüro"? Lesen Sie den Prospekt und kreuzen Sie an.**

☐ Das ist ein Reisebüro für ältere Leute.
☐ Das ist eine Einrichtung für ältere Leute.

### Seniorenbüro e.V.

**In unserer Stadt leben über 70.000 Bürgerinnen und Bürger
im Alter von 60 Jahren und mehr.
Wir beraten und unterstützen sie. Lernen Sie uns kennen!**

**Unsere Angebote und Dienste:**
1  Seniorenkreise und Begegnungsstätten
2  Bildungsangebote / Kulturelle Veranstaltungen / Seniorenreisen
3  Alten- und Pflegeheime / Betreutes Wohnen / Seniorenwohnungen
4  Ambulante Dienste / Sozialstationen / Nachbarschaftshilfe / Essen auf Rädern

**2**  **Lesen Sie noch einmal den Prospekt aus 1. Ordnen Sie zu.**

☑ Hilfen im Alltag für ältere Leute, die zu Hause wohnen und sich nicht selbst verpflegen können.
☐ Wohnformen nur für ältere Leute.
☐ Z. B. Sprachkurse, Theaterveranstaltungen und Ausflüge.
☐ Hier treffen sich regelmäßig ältere Leute. Sie unterhalten sich oder unternehmen etwas gemeinsam.

**3**  **Wen können Sie im Seniorenbüro anrufen?**

Telefon

**a**  Ihre Großmutter ist sehr einsam und hat wenig Freunde und Bekannte.

..............................................

**b**  Ihr Großvater kann nicht mehr Auto fahren. Aber er möchte gern etwas
von der Region sehen.

..............................................

**c**  Ihre Nachbarin wohnt im 4. Stock und kann keine Treppen mehr steigen.

..............................................

**d**  Ihre Großmutter möchte gern Englisch lernen und sucht einen Kurs.

..............................................

### Seniorenbüro e.V. – Unsere Mitarbeiterinnen und Mitarbeiter
### Telefon 680 –

**Sabine Wagenbach**
Leitung
Tel.: -34

**Miriam Busse**
Veranstaltungen, Tagesfahrten,
Eintrittskarten
Tel.: -33

**Franz Vogel**
Ambulante Dienste, Pflegeheime,
Betreutes Wohnen und
Seniorenwohnungen
Tel.: -42

**Anne Grende**
Begegnungsstätten und
finanzielle Unterstützung
der Seniorenkreise
Tel.: -30

**Jakob Langwasser**
Bildungsangebote,
Freizeit- und Hobbygruppen
Tel.: -39

→ PROJEKT

# Wortliste

*Die alphabetische Wortliste enthält die Wörter dieses Buches mit Angabe der Seiten, auf denen sie zuerst vorkommen. Wörter, die für die Prüfung „Start Deutsch 1/2" und für den „Deutsch Test für Zuwanderer" (DTZ) nicht verlangt werden, sind kursiv gedruckt. Bei allen Wörtern sind die Wortakzente gekennzeichnet. Ein Punkt (a) heißt kurzer Vokal, ein Unterstrich (o) langer Vokal.*
*Steht der Artikel in Klammer, gebraucht man die Nomen meistens ohne Artikel. Nomen mit der Angabe „nur Singular" verwendet man nicht oder nur selten im Plural. Nomen mit der Angabe „nur Plural" verwendet man nicht oder nur selten im Singular. Trennbare Verben sind durch einen Punkt nach der Vorsilbe gekennzeichnet (an·fangen).*

*ab·bestellen* F166
ab·biegen 43, 49
ab·buchen 68, *F 174*
*das Abenteuer, -* 58
*abenteuerlustig* 58
*der Abenteuerspielplatz, ⸚e AB 136*
*der Abenteuerurlaub, -e AB 137*
*der Abenteurer, -* 58
*der Abfahrtsort, -e F 173*
*die Abfahrtszeit, -en F 173*
abgebildet F 166
abgeschlossen 14
ab·heben 62, 63, 64
*der Abholschein, -e* 32, 37, AB 108
die Abholung, -en F 167
ab·lehnen 15
das Abonnement, -s (franz.) F 166, F 172,
abonnieren F 166
*Abschied nehmen* 83
*das Abschiedslied, -er* 82
*das Abschiedswort, -e* 82
*der Abstand, ⸚e* 51
der Abteilungsleiter, - AB 88
*abwechseln (sich) AB 124*
ade 82, 83
*Adieu!* 83
*die Adjektivdeklination, -en* 27, 37
*der Advent (nur Singular) F 173*
(das) Ägypten 32
*ahnden F 176*
aktiv werden 80
aktiv 80

aktuell F 168
akzeptieren 65
*die Alpen (nur Plural) AB 103*
*der Albtraum, ⸚e* 68
*das Altgerät, -e F 167*
altmodisch 16
die Altstadt, ⸚e AB 120
am ... vorbei 49
*die Ameise, -n AB 136*
*Amnesty International* 80
an ... vorbei 43, AB 120
der/die andere, -n 48
ändern 66
die Änderung, -en F 173
*an·fahren F 171*
der Anfang, ⸚e 83
an·geben 68, AB 147, F 173
*der/das Angebotsprospekt, -e AB 103*
angenehm 35, 37, 78
an·halten AB 126, F 171
an·klicken 34, AB 105
*die Anlieferung, -en F 167*
das Anmeldedatum, -daten F 173
an·nehmen 15
an·schalten 35
an·schließen 66
ansonsten AB 124
an·sprechen 78, AB 152, 153
anstrengend 54, 80, AB 132
*das Antivirenprogramm, -e F 165*
*die Anweisung, -en* 42
*die Anzahl (nur Singular) F 173*
*die Anzahlung, -en F 167*
das Anzeigenblatt, ⸚er 25
der Anzug, ⸚e 20, 66, AB 100
*das Apartmenthotel, -s AB 136*
*der Apfelwein, -e* 57
der Arbeitskollege, -n 78
*die Artikelbezeichnung, -en 26, F166*
die Artikelnummer, -n 26
*der Atlantik (nur Singular) 52, 54, 59*
*die Atmosphäre, -n* 55
*auf·bauen* 53, F 167
*auf·brechen AB 137*
der Aufenthalt, -e 55, 56, 59
*auf·fahren F 171*
*das Aufgabenblatt, ⸚er AB 94*
auf·haben 45
auf·hören AB 124, AB 161
*der Aufkleber, -* 30, 32, 37
*die Aufmerksamkeit, -en* 79
auf·nehmen 24, F 175
aufregend AB 132
*auf·steigen* 61
*das Aufstellen F 167*
der Auftrag, ⸚e: im Auftrag F 176

der Auftraggeber, - F 172
auf·wachsen 74, 75, AB 150
der Augenblick, -e 32, 37, AB 109
die Ausbildungsstelle, -n F 172
*der Ausbildungstarif, -e F 172*
die Ausfahrt, -en 43, AB 125
*die Ausflugsmöglichkeit, -en AB 136*
das Ausflugsziel, -e AB 136
die Ausgabe, -n 16
aus·geben 24, 25, AB 142
*ausgebucht* 56
ausgefüllt F 174
*aus·kennen (sich)* 66
die Auskunft, ⸚e 56
Auskunft geben 56
*aus·laufen F 175*
*aus·leihen* 62, 65, AB 146
*aus·rutschen AB 122*
*aus·schneiden AB 113*
das Aussehen (nur Singular) AB 151
*äußern* 15
*die Äußerung, -en* 27
die Aussicht, -en 46
aus·stellen 13, 66, 69
die Ausstellung, -en 13
*aus·tauschen AB 153*
*aus·weichen* 46, F 171
die Ausweispapiere (nur Plural) 68
*auswendig lernen* 63
aus·zahlen 66, AB 144
*die Auszahlung, -en AB 160*
aus·ziehen (sich) AB 158
aus·ziehen 25
*der Autobesitzer, - F 170*
der Autofahrer, - 16, 48, 71
der Autohändler, - F 170
*der Autokauf, ⸚e F 170*
das/der Autoradio, -s 51
*der Autoreifen, - AB 156, 160*
*die Badesachen (nur Plural) AB 123*
*der Badestrand, ⸚e* 55
die Bahnfahrt, -en AB 136
der Bahnhofsplatz, ⸚e AB 162
*der Ballon, -s und -e (franz.) 60*
die Ballonfahrt, -en 60, 61
*der Ballonflug, ⸚e* 61
die Bank, -en 62, 63, AB 119
*der Bankeinzug, ⸚e F 172*
*die Bankkarte, -n AB 140*
die Bankleitzahl, -en 65, AB 143, 147
der Bankmitarbeiter, - 68
der Bankschalter, - 63, 64, 67
die Bankverbindung, -en 65, 68, AB 143
*der Bär, -en* 78
bar AB 143, F 167
bar bezahlen 65
*die Barauszahlung, -en* 67
*das Bärchen, -* 78

das Bargeld (nur Singular) 68, 70, AB 142
die Batterie, Batterien 45
*die Bauarbeiten (nur Plural) AB 125*
der Bauer, -n 17
*das Bauernbrot, -e* 74
*der Bauernschrank, ⸚e AB 157*
die Baustelle, -n 47, 74, AB 125
beantragen 36, AB 115
*befragen* 78
*die Befragung, -en* 78
*die Begegnungsstätte, -n F 177*
begrüßen AB 137
*bei·legen F 166*
der Beitrag, ⸚e F 174
*die Beitragsrechnung, -en F 174*
bekommen 74, 75
das Benzin (nur Singular) 40, AB 123
beobachten 53, 55
bequem 26, AB 123, 133
beraten AB 109, F 169, 177
*die Beratungspflicht, -en F 169*
der Bereich, -e 78
bereits 46
der Bericht, -e F 164
berichten (über) 75, F 164
*der Berufspilot, -en* 61
*der Berufsverkehr (nur Singular) 50*
beschädigt F166
beschließen AB 123
beschrieben F166
der Beschwerdebrief, -e AB 104
der Besitzer, - F 170
besorgen (sich) 34
die Bestätigung, -en 67, AB 160, F 173
*das Besteck, -e* 20, AB 100, 101
bestellen 26, 34, AB 104
die Bestellnummer, -n F166
der Bestellschein, -e F 172
*betont AB 91*
der Betrag, ⸚e 65, 68, AB 146
*das betreute Wohnen F 177*
die Bettwäsche (nur Singular) 55
*die Bibel, -n* 16
der Biergarten, ⸚ 68
bieten AB 133
der Bildschirm, -e 21, 34, AB 100
*die Bildschirmgröße, -n AB 103*
*das Bildungsangebot, -e F 177*
*der Billigflug, ⸚e* 56
bis dann 82
*das Blasorchester, - AB 95*
*der Blechschaden, ⸚ F 171*
der Blick, -e 55, 59
bloß 11

der Lebensabschnitt, -e 80
lebenslang 14
der Lebensmittelladen, ‥ 74
die Lebensstation, -en 72,
    AB 150
die Lebensversicherung, -en
    F 174
Lebwohl! 83
leer 45, 58
leeren 33, AB 110
leicht 80, AB 98, 102
das Leihboot, -e 55
die Leistung, -en F 173
die Leitung, -en F 177
der Leser, - AB 88
die Leserumfrage, -n AB 88
die Liebesgeschichte, -n
    AB 153
der Liebeskummer (nur Singu-
    lar) 77
liebevoll 78
der Liebling, -e 78, AB 152
der Lieblingsname, -n 73
der Liedausschnitt, -e 82
die Lieferadresse, -n 26,
    F 167, 172
liefern 26, AB 110, F 167
die Lieferung, -en AB 109,
    F 166, 167
das Loch, -er 74, AB 150
das Lokalradio, -s F 164
der Lokalsender, - 47
los sein mit 40
der Lösungsvorschlag, -e 81
die Luft, ‥e 44, 45, 60
die Luftpumpe, -n 44, 45,
    AB 122
die Mannschaft, -en AB 158
das Märchen, - 17, 78
die Märchenwelt, -en AB 152
der Markt, ‥e AB 93
der Materialfehler, - F166
die Matheaufgabe, -n ( = Ma-
    thematikaufgabe) 9, 10
mechanisch 20, AB 133
die Medien (nur Plural)
    F 164
medizinisch-psychologisch 50
meinetwegen 77, 81, AB 151
die Meinungsumfrage, -n 79
die Meldebestätigung, -en
    F 176
die Meldung, -en AB 125,
    F 174
die Melodie, Melodien 82
der Memorystick®, -s (engl.) F
    165
merken (sich) 29, 51, 63
das Metall, -e 19, 21, AB 100
das Metallregal, -e AB 102
die Mietwohnung, -en
    AB 147, F 175
der Milchtopf, ‥e 21
die Milliarde, -n 33
mindestens 23, AB 132
mischen 77
mit·arbeiten AB 150

der Mitarbeiter, - 55, F 177
die Mitarbeiterin, -nen F 177
das Mitarbeiterteam, -s 61
miteinander AB 153
mit·fahren 53, 60, 61
der Mitmensch, -en 35
der/die Mitreisende, -n 58
mit·schicken F 174
die Mitschülerin, -nen F 174
die Mittagszeit, -en 14, 60,
    61
das Mobiltelefon, -e 33,
    F 167
modern 21, 33, 34
monatlich 24, 65
die Monatskarte, -n 36
die Mühe, -n 81
mühelos 81
multifunktional 34
die Münze, -n 65, AB 143
die Musikanlage, -n 24
das Musikfestival, -s 53
das Musikinstrument, -e
    AB 105
das Musikstück, -e AB 89
die Mütze, -n 20, AB 101
das Nachbarhaus, ‥er 9, 12
nach·denken 26
nachdenklich 83
nach·gucken 28
nach·lesen 16
die Nachnahme, -n 26
nach·schauen F 164
nächstmöglich- F166
die Nachzahlung, -en AB 147
der Nagel, ‥ 45
nah AB 132
nähen 66, AB 144, 145
das Nahrungsmittel, - 24
nass 44
der Nebel, - 46
nebenan 33
neblig 46, AB 124, 137
nerven 48
neugierig 58
der Newsletter, - oder -s (engl.)
    F 165
nie wieder 83
nördlich F 173
die Nordsee (nur Singular)
    53, AB 103, 124
der Nordwesten (nur Singu-
    lar) 46
der Normalversand (nur Sin-
    gular) 26
die Notfall-Rufnummer, -n
    68
nötig F 175
nützen 33
das öffentliche Verkehrs-
    mittel, - 47
der Ohrring, -e 26, 27
das Öl, -e 66
der Oldie, -s (engl.) AB 95
online (engl.) F 174
das Open Air, -s ( = Open-Air-
    Festival) 14

die Oper, -n 13, 57
die Operation, -en 74,
    AB 150
das Original, -e 68, AB 136,
    146
die Originalrechnung, -en
    F 174
die Ortschaft, -en 51
das Ortszentrum, -zentren
    43
der Päckchenschein, -e
    AB 111
paddeln 55
das Paket, -e 30, 32, AB 108
der Paketschein, -e 32,
    AB 108, 109
die Panik, -en 68
der Panoramablick, -e 55
pantomimisch 42
das Papier, -e (= Dokument)
    68, F 170
das Paradies, -e 55
die Parkgebühr, -en 71
die Parklücke, -n F 171
das Partizip, -ien 37
die Partnerschaft, -en
    AB 153
die Partybühne, -n AB 95
die Partymusik (nur Singular)
    AB 95
der Passagier, -e 60, 61
der Passant, -en 70
das Passbild, -er AB 160
das Passiv, (nur Singular) 37
pausenlos 26, 27
die Pension, -en 55, 80,
    AB 133
pensioniert 74
per Nachnahme F 167
per 13, 26, 33
die persönliche Identifikations-
    nummer, -n (PIN-Code)
    62
der Pfeffer (nur Singular)
    AB 123
das Pferd, -e 17, AB 102
die Pflanzenwelt (nur Singu-
    lar) 13
das Pflegeheim, -e F 177
die Pflicht, -en F 176
der Picknickkorb, ‥e AB 123
die Platte, -n 21
die Polizeistation, -en F 168
populär 78
das Porzellan, -e 28
die Porzellanpuppe, -n 28
die Position, -en 15
der Positiv, -e 27
positiv AB 114, 151
der/die Postangestellte, -n
    AB 88
der Postbeamte, -n 32
die Postbeamtin, -nen 32
die Privatsache, -n
das Probe-Abo, -s (= Probe-
    abonnement) F 172
die Probefahrt, -en F 170

die Problemkarte, -n 77
das Promille, - 51
Prost 68
PS (= die Pferdestärke, -n)
    50
der Pudding, -e und -s 23
pur 13, 55
putzen 13, AB 110, 144
das Quadrat, -e AB 123
die Qualität, -en 19, 26,
    AB 105
der Quatsch (nur Singular)
    F 168
das Quellenverzeichnis, -se
    AB 136, AB 146
die Quizsendung, -en 51
der Radfahrer, - 45, 48,
    AB 122
die Radiodurchsage, -n
    AB 137
der Radiosender, - 14
die Radiostation, -en AB 95
ran·fahren 51
die Rate, -n: in Raten zahlen
    AB 143
die Rathauswiese, -n AB 95
der Räuber, - 70
der Raucher, - 78
raus·fliegen 39
raus·holen 29
die Reederei, -en 13
der Regenschauer, - 46,
    AB 124
die Region, -en 55, F 164,
    177
regnerisch 46, AB 124, 137
der Reifen, - 44, 45, 50
die Reifenpanne, -n 45
reinigen 22, AB 144, 145
die Reinigung, -en 36,
    AB 115
rein·passen AB 98
rein·schreiben 32, 33, 37
rein·stecken 29
die Reiseanmeldung, -en
    F 173
die Reisebedingung, -en F 173
der Reisebegleiter, - 58
der/die Reisende, -n F 173
der Reiseplan, ‥e 52
die Reiseroute, -n 56
die Reisetasche, -n 22
der Reiseveranstalter, - F 173
der Reiter, - 17
renovieren 25, 66, AB 145
respektlos 78
die Restzahlung, -en F 167
das Risiko, Risiken 26, 58
der Roller, - 22
romantisch 35, AB 153,
    F 173
das Rot, - (Ampel) 48
die Route, -n (franz.) AB 127
der Routenplaner, - AB 127
die Rückgabe, -n AB 105
das Rücklicht, -er 44, 45,
    AB 122

# Unregelmäßige Verben

abbiegen, er/sie biegt ab, ist abgebogen
abheben, er/sie hebt ab, hat abgehoben
abschließen, er/sie schließt ab, hat abgeschlossen
annehmen, er/sie nimmt an, hat angenommen
anschließen, er/sie schließt an, hat angeschlossen
ansprechen, er/sie spricht an, hat angesprochen
aufnehmen, er/sie nimmt auf, hat aufgenommen
aufwachsen, er/sie wächst auf, ist aufgewachsen
ausgeben, er/sie gibt aus, hat ausgegeben
ausleihen, er/sie leiht aus, hat ausgeliehen
einfallen, ihm/ihr fällt ein, ist eingefallen
einschreiben (sich), er/sie schreibt sich ein,
  hat sich eingeschrieben
einwerfen, er/sie wirft ein, hat eingeworfen
entscheiden, er/sie entscheidet, hat entschieden
erhalten, er/sie erhält, hat erhalten
erkennen, er/sie erkennt, hat erkannt
etwas unternehmen, er/sie unternimmt,
  hat unternommen
fallen, er/sie fällt, ist gefallen
finden, er/sie findet, hat gefunden
genießen, er/sie genießt, hat genossen

groß werden, er/sie wird groß,
  ist groß geworden
mithelfen, er/sie hilft mit, hat mitgeholfen
nachdenken, er/sie denkt nach, hat nachgedacht
reinschreiben, er/sie schreibt rein,
  hat reingeschrieben
sterben, er/sie stirbt, ist gestorben
stinken, er/sie stinkt, hat gestunken
streichen, er/sie streicht, hat gestrichen
streiten, er/sie streitet, hat gestritten
übernehmen, er/sie übernimmt,
  hat übernommen
überweisen, er/sie überweist, hat überwiesen
verbringen, er/sie verbringt, hat verbracht
verleihen, er/sie verleiht, hat verliehen
verschieben, er/sie verschiebt, hat verschoben
vorbei lassen, er/sie lässt vorbei,
  hat vorbei gelassen
vorlesen, er/sie liest vor, hat vorgelesen
wert sein, er/sie ist wert, ist wert gewesen
wiegen, er/sie wiegt, hat gewogen
zugreifen, er/sie greift zu, hat zugegriffen

## Quellenverzeichnis

Umschlag: © Hueber Verlag/Alexander Keller
Seite 14: © iStockphoto/absolut_100
Seite 16: A © Interfoto/IFPA; B © TV-yesterday; C © René Maltête/Voller Ernst
Seite 21: B3 © Hueber Verlag/Franz Specht
Seite 23: C4: a © iStockphoto/Tyler Stalman; b: Reiseführer © mit freundlicher Genehmigung von ADAC; Tennisschläger © fotolia/SyB; Tischtennisschläger © iStockphoto/ Lobsterclaws; Fußball © iStockphoto/sumnersgraphicsinc; Jazz © iStockphoto/Bayram TUNÇ; Rock © iStock/podgorsek; HipHop © iStockphoto ; Eintrittskarten © Hueber Verlag; Pasta © iStockphoto/deliormanli; Pudding © iStock; Salat © iStockphoto/enviromantic
Seite 24: 1 © irisblende.de; 2 © iStockphoto/Jordan Chesbrough; 3 © iStockphoto/azndc; 4 © iStockphoto/keeweeboy
Seite 25: © Hueber Verlag/Franz Specht
Seite 26: E1 © MEV; E3 © PantherMedia/Liona Toussaint
Seite 28/29: © Hueber Verlag/Florian Bachmeier
Seite 30: © DHL
Seite 33: Deutsche Post/Pressefotos 2001: A, C, E © Deutsche Post; B © Ludger Wunsch; D © CDF
Seite 38/39: Hintergrund © Hueber Verlag/Florian Bachmeier
Seite 40: © Archiv Bundesdruckerei GmbH
Seite 46: A © dpa Picture-Alliance/Berlin Picture Gate; B, C, D © MEV; E © Jupiter Images/Stockbyte; F © fotolia/Dmitri Brodski
Seite 47: A © fotolia/Mihai Musunoi; B © PantherMedia/Elvira Gerecht; C © fotolia/Irina Fischer; D © iStock/jalala; E © action press; F © PantherMedia/Martina Berg
Seite 48: von links: © irisblende.de; © iStockphoto/Suprijono Suharjoto; © action press
Seite 50: oben © Hueber Verlag/Florian Bachmeier; unten von links: © Stadt Flensburg; © PantherMedia/Gunter Kirsch
Seite 51: © Hueber Verlag/Florian Bachmeier
Seite 55: von links: © Ostseebäderverband; © Österreichwerbung/ Jezierzanski; © MEV; © Naturpark Nossentiner
Seite 56: © Hueber Verlag/Franz Specht
Seite 57: A © Tourismus + Congress GmbH Frankfurt am Main; B © Ferienhaus Carmen; C © PantherMedia/Meseritsch Herby
Seite 60/61: © www.ammersee-ballonfahrten.de/Jürgen Fels
Seite 62: A © DeTeCardService; B © AOK Bayern; D © Karstadt Warenhaus AG
Seite 75: 1–3 © KIDS Images/Monika Taylor
Seite 77: 2 © iStockphoto/ericsphotography
Seite 80: oben © Hueber Verlag/Isabel Krämer-Kienle; unten © Fritz Lesch; Lied „Mit 66 Jahren", Text: Wolfgang Hofer, Musik:

Udo Jürgens © Aran Concertial Productions AG, Zürich. Aran Concertial Productions AG, Zürich für Deutschland, Österreich, Schweiz und osteurop. Länder. Musikverlag Johann Michel, Frankfurt/Main, für die übrige Welt. Mit Genehmigung von Aran Concertial Productions AG, Zürich, für Deutschland und Österreich: MELODIE DER WELT, J. Michel KG, Musikverlag, Frankfurt/Main
Seite 82/83: Lieder: „Junge, komm bald wieder", Musik: Lotar Olias, Text: Walter Rotenburg © Sikorski Musikverlage, Hamburg; „Sag' beim Abschied leise Servus", Musik: Peter Kreuder, Text: Harry Hilm/Hans Lengsfelder © 1936 by Edition Meisel GmbH; „Gute Nacht, Freunde", Text und Musik: Reinhard Mey, mit freundlicher Genehmigung von Edition Reinhard Mey, Maikäfer Musik Verlagsgesellschaft mbH, Berlin
Seite 92: von links: © fotolia/Forster Forest; © iStockphoto/Steve Harmon
Seite 105: © Hueber Verlag
Seite 109: © DHL
Seite 127: links © www.stadtplandienst.de; Mitte und rechts © Hueber Verlag
Seite 133: © PantherMedia/Laurent Renault
Seite 134: © Süddeutsche Zeitung Photo/teutopress
Seite 147: © Hueber Verlag
Seite 153: von links: © iStockphoto/hidesy; © iStockphoto/Kemter; © PantherMedia/Yuri Arcurs; © iStockphoto/Stockphoto4u
Seite 164: B © iStockphoto/Sjo; D © action press/Christian Langbehn; E © kicker sportmagazin – mit freundlicher Genehmigung durch Olympia-Verlag GmbH
Seite 165: © Hueber Verlag/Florian Bachmeier
Seite 166: © Hueber Verlag/Ernst Luthmann
Seite 170: © iStockphoto/asiseeit
Seite 172: oben © Hueber Verlag/Florian Bachmeier; unten © iStockphoto/Richard McGuirk
Seite 173: © action press/Franz Neumayr
Seite 175: © Hueber Verlag/Florian Bachmeier
Seite 176: © Hueber Verlag/Florian Bachmeier
Seite 177: oben links, unten links, unten rechts © MEV; Mitte links, oben rechts © Hueber Verlag

Alle übrigen Fotos: Hueber Verlag/Alexander Keller

Der Verlag bedankt sich für das freundliche Entgegenkommen bei den Fotoaufnahmen bei: Damenstift am Luitpoldpark, München; Deutsche Post AG, Filiale Gilching; AGIP Service Station, Ismaning; VR Bank Starnberg-Herrsching-Landsberg eG (Raiffeisenbank Weßling); Weßlinger Reisebüro GmbH